En route vers...
le DELF A1
scolaire et junior

**Tout pour réussir
l'examen**

Philippe Liria
Jean-Paul Sigé

Editions Maison des Langues, Paris

En route vers... le DELF scolaire et junior

Le Diplôme d'Études de Langue française (DELF) est une référence dans le monde entier pour certifier les connaissances en français. Ce diplôme a évolué avec le temps, et le Centre international d'Études pédagogiques (CIEP), établissement public du ministère de l'Éducation nationale français, l'a actualisé pour l'harmoniser avec le *Cadre européen commun de Référence pour les Langues* (CECR). Pour mieux répondre aux centres d'intérêt des plus jeunes, le CIEP a aussi mis en place le DELF scolaire et junior. Comme les chiffres le démontrent, ce diplôme connaît un véritable succès et est en passe de devenir l'examen de français par excellence dans les collèges de nombreux pays.

Forts de notre expérience avec *Les clés du nouveau DELF*, nous avons voulu combiner ce savoir-faire qui a été la clé du succès de cette collection de référence et les particularités de ce diplôme pour le public de l'enseignement secondaire, afin de proposer un manuel qui va au-delà du simple entraînement à l'examen. Son titre, *En route vers... le DELF scolaire et junior*, n'est d'ailleurs pas anodin : il contient bien sûr des exercices et des tests, mais aussi de nombreux conseils d'usage de la langue et des informations culturelles et de civilisation ; il fournit aussi des stratégies pour aborder chacune des épreuves. *En route vers... le DELF scolaire et junior* n'est donc pas un simple ouvrage de « delfotage », il permet aussi à l'apprenant, futur candidat, de se munir des outils qui le rendront véritablement compétent le jour des épreuves.

Tableau récapitulatif des diplômes disponibles du DELF scolaire et junior

CECR	DELF scolaire et junior	Durée des épreuves
A1 Élémentaire	DELF A1	1h 25 (+ 10 min préparation PO)
A2 Survie	DELF A2	1h 50 (+ 10 min préparation PO)
B1 Seuil	DELF B1	2h 00 (+ 15 min préparation PO)
B2 Indépendant	DELF B2	2h 50 (+ 30 min préparation PO)

Le contenu d'En route vers... le DELF scolaire et junior

Une structure simple et efficace
Les cinq unités thématiques de ce manuel comprennent chacune des rubriques lexicales, grammaticales et phonétiques, ainsi qu'un examen d'entraînement avec des recommandations pour les différents types d'épreuves.

Le lexique et la grammaire
Chaque unité est divisée dans un premier temps en Lexique et Grammaire. L'élève y trouvera des activités regroupées autour de thèmes (cinq au total) pour réviser ou approfondir en contexte les aspects lexicaux et grammaticaux élémentaires requis pour le niveau A1 du CECR. En marge de ces activités, chacune des rubriques comprend des encadrés sous forme de post-it qui apportent des informations complémentaires sur des aspects précis de la langue écrite ou orale (post-its bleus) ou des remarques culturelles ou de civilisation (post-its jaunes). La plupart des activités ont été conçues pour permettre un travail autonome : les élèves peuvent les faire à l'écrit et vous les remettre. D'autres ont été conçues dans le prolongement du travail individuel et permettent de mutualiser, en classe, les compétences de chacun autour d'une activité écrite ou orale. Dans ce cas, les professeurs sont invités à privilégier le travail en binôme ou en groupe. À la fin de cette rubrique, vous trouverez un mémento grammatical qui récapitule et explique de façon simple et rapide les formes travaillées dans l'unité.

La phonétique
Elle rappelle et complète en une page par unité les aspects phonétiques fondamentaux appropriés au niveau A1. Les exercices de phonétique sont accompagnés d'un support audio que les élèves pourront trouver en fin d'ouvrage.

Cinq épreuves d'entraînement au DELF scolaire et junior A1
Chaque unité comprend un examen d'entraînement divisé selon les quatre épreuves de l'examen. Pour chaque partie de l'examen sont fournis des conseils pour aborder au mieux chacune des épreuves. La dernière unité contient aussi les grilles d'évaluation, afin que les futurs candidats connaissent les critères d'évaluation.

Quatre examens blancs complets

Vous trouverez quatre examens blancs complets qui vous permettront de mettre vos élèves dans des situations d'évaluation.

C'est donc un total de neuf examens d'entraînement au DELF que vous propose *En route vers… le DELF scolaire et junior*.

Tableau récapitulatif des épreuves du DELF scolaire et junior A1

NATURE DES ÉPREUVES	DURÉE	NOTE SUR
COMPRÉHENSION DE L'ORAL (CO) Réponse à des questionnaires portant sur trois ou quatre courts documents enregistrés ayant trait à des situations de la vie quotidienne (2 écoutes). Durée maximale des documents : 3 min.	20 min. environ	25
COMPRÉHENSION DES ÉCRITS (CE) Réponse à des questionnaires de compréhension portant sur quatre ou cinq documents relatifs à des situations de la vie quotidienne.	30 min.	25
PRODUCTION ÉCRITE (PE) Épreuve en deux parties : • Compléter un formulaire, une fiche, etc. • Rédiger des phrases simples (cartes postales, légendes, etc.) sur des sujets de la vie quotidienne.	30 min.	25
PRODUCTION ORALE (PO) Épreuve en trois parties : • entretien dirigé • échange d'informations • dialogue simulé	10 min de préparation (exercices 2 et 3) Passation 5 à 7 min	25
Seuil de réussite pour obtenir le diplôme : 50 / 100 Note minimale requise (pour chaque épreuve) : 5 / 25	Durée totale des épreuves : 1h 25	Note totale : 100

En route vers… le DELF scolaire et junior : des activités motivantes, agréables et en contexte

Dans ce livre, nous n'avons pas voulu perdre de vue deux aspects fondamentaux qui rendent plus efficace la préparation à un examen : la motivation et le plaisir des yeux. C'est pourquoi nous avons résolument fait le choix de proposer des activités actionnelles qui impliquent réellement le futur candidat dans ce qu'il fait et nous l'avons fait en soignant particulièrement la présentation graphique et le choix des couleurs.

Dans les énoncés, nous avons délibérément choisi d'alterner entre le tutoiement (partie Lexique et Grammaire) et le vouvoiement (entraînement aux examens), afin de refléter une double réalité d'usage de la langue française que les élèves doivent progressivement assimiler.

Un Livre du professeur + CD-Rom

Enfin, vous trouverez pour votre préparation des informations complémentaires, des conseils d'évaluation, les corrigés des exercices et le CD-Rom contenant tous les documents audio, les transcriptions et les épreuves des examens blancs dans *En route vers… le DELF scolaire et junior*, guide du professeur.

Il ne nous reste plus qu'à souhaiter qu'*En route vers… le DELF scolaire et junior* guide les futurs candidats sur le chemin de la réussite à ce prestigieux examen.

Les auteurs

TABLE DES MATIÈRES

Avant-propos 2

Unité 1 | Ma famille et mes amis

Lexique 6
Grammaire 10
Phonétique 14
Entraînement au DELF scolaire et junior A1

CO : L'annonce vocale 15
CE : Le message 17
PE : Le formulaire 20
PO : L'échange d'informations 22

Unité 2 | Mon chez-moi et ma ville

Lexique 24
Grammaire 28
Phonétique 32
Entraînement au DELF scolaire et junior A1

CO : Le message sur répondeur 33
CE : La carte d'invitation 35
PE : La note à rédiger 38
PO : Le dialogue simulé 39

Unité 3 | Mes activités et mes passions

Lexique 42
Grammaire 46
Phonétique 50
Entraînement au DELF scolaire et junior A1

CO : L'association dialogue-image 51
CE : La petite annonce 53
PE : L'association image-légende 55
PO : Le dialogue simulé (l'évaluation) 57

Unité 4 | Mes habitudes

Lexique 60
Grammaire 64
Phonétique 68
Entraînement au DELF scolaire et junior A1

CO : Le dialogue en situation 69
CE : L'extrait de presse 72
PE : La carte postale 75
PO : L'entretien dirigé 76

Unité 5 | Mes vacances

Lexique 78
Grammaire 82
Phonétique 86
Entraînement au DELF scolaire et junior A1

CO : La compréhension de l'oral (l'évaluation) 87
CE : La compréhension des écrits (l'évaluation) 89
PE : La production écrite (l'évaluation) 91
PO : L'entretien dirigé et l'échange d'informations (l'évaluation) 93

Examens DELF scolaire et junior A1

Examen 1 96
Examen 2 104
Examen 3 112
Examen 4 120

Les examens commentés, les solutions, les transcriptions et le CD figurent dans le *Guide du professeur*.

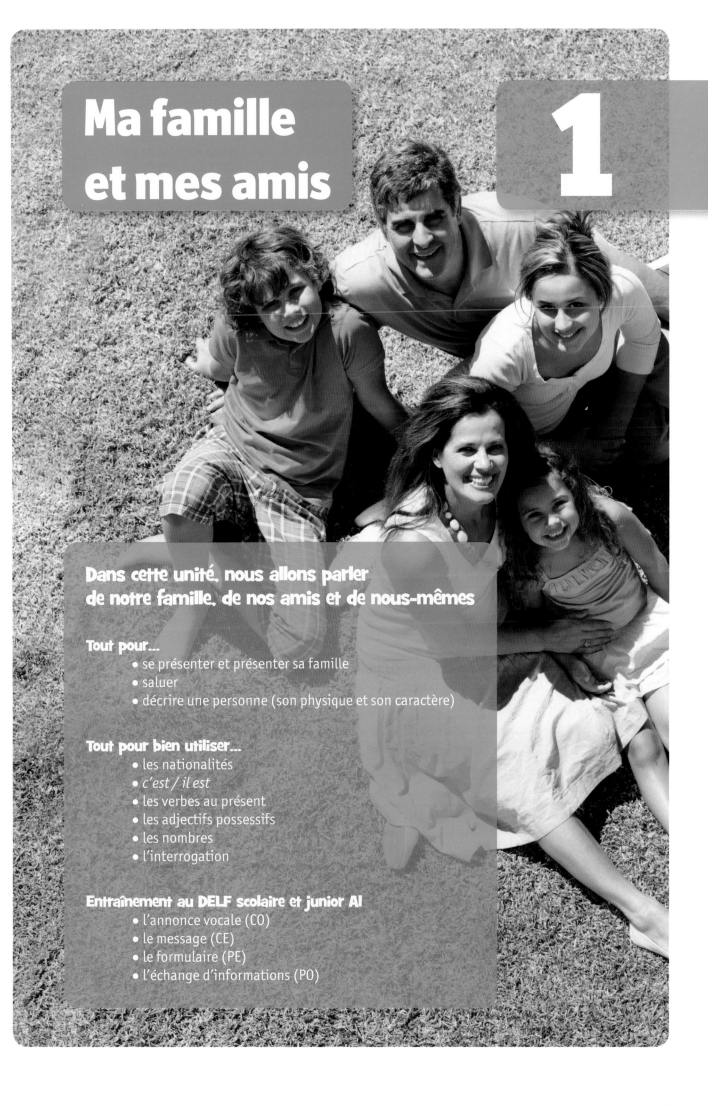

Ma famille et mes amis

1

Dans cette unité, nous allons parler de notre famille, de nos amis et de nous-mêmes

Tout pour...
- se présenter et présenter sa famille
- saluer
- décrire une personne (son physique et son caractère)

Tout pour bien utiliser...
- les nationalités
- *c'est / il est*
- les verbes au présent
- les adjectifs possessifs
- les nombres
- l'interrogation

Entraînement au DELF scolaire et junior A1
- l'annonce vocale (CO)
- le message (CE)
- le formulaire (PE)
- l'échange d'informations (PO)

1 La présentation

A. Mets en rapport les questions de la colonne A et les réponses de la colonne B.

A	B
Vous avez quel âge ?	Je suis étudiant en médecine.
Vous êtes finlandais ?	Non, j'ai une copine.
Vous habitez où ?	Je viens de Moscou.
Vous venez d'où ?	À l'hôpital de la Salpetrière.
Vous vivez seul ?	À Paris.
Qu'est-ce que vous faites comme métier ?	28 ans.
Où vous travaillez ?	Boris Ouaknine.
Vous vous appelez comment ?	Non, je suis russe.

B. Et toi, peux-tu répondre aux mêmes questions ?

J'ai... ans...

- *Tu t'appelles comment ?*
- *Luciano Mansola, et toi ?*

2 Salutations

A. De jeunes Européens parlent des habitudes de leur pays. Complète les informations manquantes du troisième texte avec les expressions suivantes.

> salut   bonjour   au revoir   tutoie   à bientôt   bonjour
> vouvoie   serre la main   fait la bise   au revoir

En Angleterre, on dit « hello » en général et, si on connaît bien la personne, on dit « hi ». On n'a pas de problème quand on parle aux autres parce qu'on dit « you » à tout le monde. On ne se serre pas souvent la main et on se fait rarement la bise.

En Espagne, on dit « hola » pour saluer ou on peut dire « buenos días » le matin, « buenas tardes » l'après-midi et « buenas noches » le soir. Quand on se sépare, on dit « adiós » ou « hasta luego ». On tutoie (on dit « tu ») très facilement, mais on vouvoie les personnes âgées (on dit « vous », « usted » en espagnol). On se serre souvent la main et, entre amis, on se fait de temps en temps la bise.

En France, si on connaît bien la personne, si c'est un ami ou une personne de la famille, on dit *bonjour* ou bien _____ pour la saluer et on la _____ quand on lui parle. Quand on part, on lui dit _____ ou _____.
Mais si c'est une personne qu'on ne connaît pas, pour la saluer on dit _____ et pour partir _____.
Pour lui parler, on la _____.
En général, on _____ aux personnes qu'on ne connaît pas bien, et on _____ aux personnes qu'on connaît.
Attention ! Entre garçons, c'est moins habituel.

B. Et dans ton pays ?

Chez moi, on...

POUR SALUER
Bonjour
Bonsoir (seulement le soir)
Salut (familier)

POUR PRENDRE CONGÉ
Au revoir
À tout à l'heure (quand on va se revoir dans un moment)
À demain
À lundi
Salut (familier)
À plus (familier)
Tchao (familier)

3 Les professions

Voici des photos de personnes au travail. Peux-tu trouver qui a dit les phrases suivantes ?

1. Je soigne les malades.
2. Je vends du pain.
3. Je suis chauffeur de bus.
4. Je donne des cours.
5. Je suis un sportif.
6. Je suis actrice.
7. Je répare des ordinateurs.
8. Je vends des vêtements.

4 Les professions de famille

Voici les Durant :

Sylvie est chanteuse comme son grand-père.
Hugo est traducteur comme sa mère.
Valérie est boulangère comme son père.
Marine est journaliste comme son oncle.
Stéphane est musicien comme sa sœur.
Hélène est ingénieure comme son frère.

Peux-tu retrouver les professions des membres de la famille ?

Le grand-père de Sylvie est…

5 Les pays

A. Dis quels pays de la liste peuvent visiter les différents touristes.

> Irlande   Pologne   Angleterre   France   Espagne   Italie
> Norvège   Suisse   Suède   Grèce   Autriche   Russie   Maroc
> Sénégal   Inde   Chine   États-Unis   Canada   Argentine
> Brésil   Mexique   Pérou   Cuba   Australie

LES NOMS DE PAYS ONT UN GENRE

- S'ils se terminent par **e**, en général ils sont féminins, on utilise l'article **la** : *la France, la Grèce*, etc. Attention ! *Le Mexique, le Mozambique, le Zimbabwe.*
- S'ils se terminent par une autre lettre, ils sont masculins et on utilise l'article **le** : *le Canada, le Portugal, le Chili.*
- S'ils commencent par une voyelle, on utilise l' : *l'Italie, l'Allemagne, l'Irak.*
- Pour le pluriel, on utilise l'article **les** : *les États-Unis, les Pays-Bas.*
- **Quelques pays s'utilisent sans article :** *Cuba, Israël.*

Si tu aimes les pays froids, tu peux visiter *la Norvège…*
Si tu aimes les pays exotiques, tu peux visiter *le Pérou* ✓
Si tu aimes les pays avec des vieux monuments, tu peux visiter *la Grèce* ✓
Si tu aimes les pays avec de grands espaces, tu peux visiter *les États-Unis* ✓
Si tu aimes les pays où l'on mange bien, tu peux visiter *l'Italie* ✓
Si tu aimes les pays verts, tu peux visiter *le Brésil* ✓
Si tu aimes les pays chauds, tu peux visiter *l'Australie* ✓
Si tu aimes les pays montagneux, tu peux visiter *la Chine* ✓

Très bien !

B. Demande à un camarade le type de pays qu'il aime.

● *Tu aimes les pays froids ?*
○ *Oui, j'aime les pays froids comme…*

6 Les nationalités – les personnages célèbres

A. Dis qui sont ces personnes.

J.K. Rowling	*C'est une auteure anglaise.*
Johnny Depp	....
Tony Parker	....
Rafael Nadal	....
Lady Gaga	....
Catherine Middelton	....
Ronaldino	....
Michael Schumacher	....
Carla Bruni	....
Bono	....

B. Trouve d'autres personnages célèbres et teste ton voisin en faisant des dialogues.

● *Et Tom Cruise, tu sais qui c'est ?*
○ *Oui, c'est un acteur américain. Et Caetano Veloso ?*

7 La description physique

A. Lis les descriptions des personnages et associe-les aux images.

1. Il est brun avec une mèche sur le front. Il a les yeux noirs et n'a pas l'air sympathique. Il porte un pull bleu. Il a de petites lunettes rondes.

....

3. Elle a les cheveux courts et frisés. Elle a un nez pointu et des yeux marron. Elle porte de grandes lunettes et un pull rose. Elle sourit.

....

2. Elle est blonde et a les cheveux longs et raides. Elle porte des boucles d'oreilles bleues et un pull rouge. Elle a l'air sérieux.

....

4. Il est chauve et a une grosse barbe. Il a les yeux bleus et de grandes dents. Il a de grandes oreilles et un gros nez. Il porte un pull gris.

....

B. Fais le portrait d'une personne que tu aimes bien.

Il est...

C. Décris physiquement un(e) camarade de classe au reste de la classe.

● *Il / elle est...*

LA DESCRIPTION

Les verbes
Il / Elle est... (brun, blond... grand, petit...)
Il / Elle a... (un grand nez, de petites oreilles...)
Il / Elle a / porte... (des lunettes, un pull, des boucles d'oreilles...)

Les cheveux
Il est blond / brun / roux...
Elle est blonde / brune / rousse...
Elle a les cheveux blancs / blonds / bruns / roux...
Elle / Il a les cheveux raides, frisés, ondulés...
Il est chauve.

Le visage
Le front
Les yeux (un œil)
Le nez
La bouche
La joue
Le menton
Les oreilles (n.f.)

L'expression du visage
Il a l'air sympa, sérieux, triste...
Elle a l'air sympa / sérieuse, triste...
Il / Elle semble / paraît...

LEXIQUE

8 Le caractère

A. Voici une liste d'adjectifs. Associe-les à ces visages.

rêveur   calme   gai   timide
triste   méchant

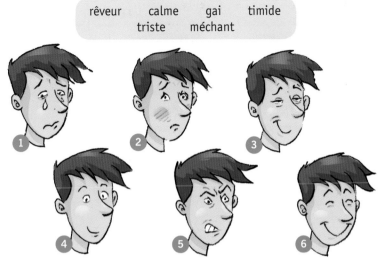

POUR DÉCRIRE
LE CARACTÈRE
sympa (sympathique)
agréable
aimable
intelligent(e)
amusant(e)
drôle
heureux(se)
gentil(le)
dynamique
poli(e)
ouvert(e)
timide
réservé(e)
calme
fermé(e)
triste
apathique
malpoli(e)
méchant(e)
ennuyeux(euse)
désagréable
bête
stupide

B. Utilise des adjectifs de la liste pour décrire ces deux personnages.

malpoli(e)   désagréable   bête   calme   sympa   drôle
gentil(le)   ennuyeux(se)   intelligent(e)   poli(e)

Il est désagréable, ...   *Elle est...*

9 La famille

Marie décrit sa famille. Complète l'arbre généalogique de sa famille.

Ma famille

C'est mon père. Il s'appelle Stéphane. Il est ingénieur.
Il a 36 ans et il est très amusant. À côté de lui, c'est ma
mère, Nathalie. Elle est médecin et très dynamique. Elle
a 32 ans.
Là, c'est mon frère, il s'appelle Quentin. Il a 19 ans. Il est
étudiant en informatique. Il est très timide et ne parle
pas beaucoup. Ma sœur Coline, c'est le contraire. Elle
est très sociable. Elle a un an de plus que moi, 14 ans. Elle
adore le français.
Et enfin, mon grand-père, Jacques et ma grand-mère,
Isabelle, qui sont les parents de mon père. Ils ont 62 ans
et 68 ans et ne travaillent plus. Ils sont retraités.

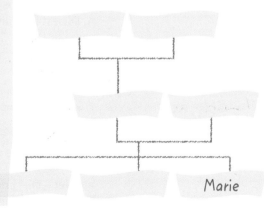

Marie

● C'est mon grand-père, il s'appelle...

LES MAJUSCULES POUR LES NATIONALITÉS
➤ On met une majuscule pour les noms.
Les Français aiment les fromages.
➤ On ne met pas de majuscule pour les adjectifs.
C'est un passeport suisse.
Il est cubain.

10 Les nationalités

Complète le tableau.

PAYS	HOMME	FEMME
Brésil		
Mexique		
Canada		
Espagne		
Grèce		
Pologne		
Indonésie		
Maroc		

11 Les présentatifs

A. Complète le texte suivant avec *il / elle est, c'est, ils sont, ce sont*, puis dis qui c'est.

Elle est française et _____ une actrice célèbre dans le monde entier. _____ grande et blonde. Ses films célèbres sont entre autres *Les parapluies de Cherbourg, Belle de jour, Fort Saganne, Un conte de Noël* : _____ de très beaux films. Sa fille, Chiara Mastroianni, est connue car _____ aussi une actrice. Mastroianni, _____ le nom de son père qui était aussi un célèbre acteur italien.

LA NÉGATION
À l'oral, le **ne** disparaît souvent.
Je suis pas étudiant

B. Réponds aux questions qui se réfèrent aux personnages suivants.

Jean Reno · L'équipe de France de football féminin · Richard Gasquet · Marion Cotillard

1. Il est américain ? *Il n'est pas américain.* C'est un acteur ? _____
2. Elles sont françaises ? _____ . Ce sont des sportives ? _____
3. Ils est français ? _____ . C'est un sportif ? _____
4. Elle est française ? _____ . C'est une chanteuse ? _____

C. Décris un personnage célèbre à un(e) camarade de classe et fais-lui deviner qui c'est.

● Il est...

12 Les verbes au présent de l'indicatif

Mets les mots de ces phrases dans l'ordre et conjugue les verbes.

appeler – m' – Éric – je
France – la – connaître – nous
être – ils – ingénieurs
à – habiter – Marseille – tu

dix-sept – avoir – il – ans
vous – exercices – faire – des
grec – nous – classique – le – étudier
travailler – comme – tu – musicien

GRAMMAIRE

13 Les adjectifs possessifs

Complète le dialogue suivant avec des adjectifs possessifs.

- Allô, ici École de France.
- ○ Bonjour. Je vous appelle pour connaître les formalités à remplir pour inscrire mon fils et _____ ami à un cours de français cet été.
- Bien sûr. Quelle sont _____ adresses électroniques ?
- ○ _____ adresse est gcarpo@emdl.fr. L'adresse de _____ ami est sicar@ho.fr.
- Quel est _____ âge ? Car nous n'acceptons des étudiants dans _____ école qu'à partir de 16 ans.
- ○ Oui, je sais. _____ fils a 18 ans et _____ ami 17.
- Sont-ils déjà sûrs de _____ choix ?
- ○ Oui tout à fait, pourquoi ?
- Nous sommes déjà en juin, il est urgent de faire _____ inscription.
- ○ Oui, absolument, dès que nous recevons _____ courriel, je les inscris.
- Très bien, merci Madame.
- ○ Merci à vous Monsieur, au revoir et bonne journée.

14 Les nombres

A. Complète ces listes de nombres en écrivant les nombres en lettres.

1, 3, 5, *sept*, _____, _____, _____, 15, _____, _____, _____, 23.

129, 118, 108, *quatre-vingt-dix-neuf*, 91, _____, _____. _____, 69, 66, 64, 63.

B. Écris les nombres en lettres :

Ton âge   *J'ai...*
Ta date de naissance   _____
Ton adresse   _____
Ton numéro de téléphone _____

- *Quel âge as-tu ?*
- ○ *J'ai...*

LES ADJECTIFS POSSESSIFS

Les possessifs s'accordent en nombre et en genre avec l'objet, pas avec le possesseur.
- *C'est le frère de Catherine ?*
- ○ *Oui, c'est son frère.*

LE PLURIEL DES NOMBRES
- ➤ On met un s :
  quatre-vingts
  deux cents
- ➤ Pas de s à *cent* ni à *quatre-vingt* quand ils sont suivis d'un autre chiffre.
  trois cent cinquante-huit
  quatre-vingt-sept
- ➤ *Mille* est invariable.
  huit mille

0	zéro	20	vingt			100	cent
1	un	21	vingt-et-un				
2	deux	22	vingt-deux	70	soixante-dix	200	deux cents
3	trois	23	vingt-trois	71	soixante et onze	201	deux cent un
4	quatre	...	...	72	soixante-douze	...	...
5	cinq			...	...		
6	six						
7	sept						
8	huit						
9	neuf						
10	dix					300	trois cents
11	onze	30	trente	80	quatre-vingts	...	...
12	douze	40	quarante	81	quatre-vingt-un		
13	treize	50	cinquante				
14	quatorze	60	soixante				
15	quinze	...	...				
16	seize			90	quatre-vingt-dix		
17	dix-sept			91	quatre-vingt-onze		
18	dix-huit			...	...		
19	dix-neuf						

Pour présenter quelqu'un

- **C'est** + NOM PROPRE

  C'est Vincent.
  C'est Monsieur Dubois.

- **C'est** + DÉTERMINANT + NOM

  C'est un garçon.
  C'est mon ami.

- **Il est** + ADJECTIF

  Il est grand.

⚠ Dans le cas des professions :

  Il est médecin. C'est un médecin généraliste.

La négation

- **ne / n'** + VERBE + **pas**

  Je suis professeur. Je ne suis pas étudiant.
  J'habite à Lyon. Je n'habite pas à Paris.
  J'aime les fruits. Je n'aime pas les carottes.

⚠ **c'est / ce sont**

  - *C'est Tom Cruise ?*
  - ○ *Non, ce n'est pas Tom Cruise, c'est Tom Hanks.*
  - *Ce sont tes cousins ?*
  - ○ *Non, ce ne sont pas mes cousins, ce sont mes frères.*

Les articles

	SINGULIER			PLURIEL
	MASCULIN	FÉMININ	DEVANT VOYELLE	
Définis	**le**	**la**	**l'**	**les**
Indéfinis	**un**	**une**	**un/une**	**des**

- On utilise **le, la, l', les** quand on parle d'une chose unique ou qu'on connaît.

  Je visite le Japon l'été prochain.
  J'aime la musique.
  Voici l'université où j'étudie.
  Ce sont les amis de Mathilde.

- On utilise **un, une, des** pour parler d'une chose pour la première fois.

  Au club de tennis, j'ai un ami très sympa.
  Pour me déplacer, j'ai une moto et des rollers.

  ⚠ - *Tu as un problème ?*
  - ○ *Non, je n'ai pas de problème.*
  - *Vous avez des enfants ?*
  - ○ *Non, nous n'avons pas d'enfants.*

⚠ On fait la liaison avec **les** et **des** s'ils sont placés devant une voyelle ou un h muet. (Voir Phonétique de l'Unité 3).

Les adjectifs possessifs

- Les adjectifs possessifs permettent de marquer l'appartenance.

  - *C'est la famille de Pierre ?*
  - ○ *Oui, c'est sa famille.*

	MASC. SING. ou FÉM. SING. COMMENÇANT PAR UNE VOYELLE	FÉMININ SINGULIER	MASCULIN ou FÉMININ PLURIEL
je	**mon** frère / amie	**ma** sœur	**mes** cousins / cousines
tu	**ton** frère / amie	**ta** sœur	**tes** cousins / cousines
il/elle	**son** frère / amie	**sa** sœur	**ses** cousins / cousines
nous	**notre** frère / sœur		**nos** frères / sœurs
vous	**votre** frère / sœur		**vos** frères / sœurs
ils/ elles	**leur** frère / sœur		**leurs** frères / sœurs

Le genre et le nombre des noms

- Le nom change en genre (masculin ou féminin) et en nombre (singulier ou pluriel).

  Bernard est étudiant. Claire est étudiante.
  Pierre et Éric sont étudiants. Claire et Léa sont étudiantes.

Le féminin se forme de différentes manières.

⚠ Parfois la prononciation change.

MASCULIN	FÉMININ	ÉCRIT	PRON.
Un architecte		Le masculin se termine par **e**, le féminin ne change pas.	=
Un employé	*Une employée*	On ajoute **e** au féminin.	=
Un étudiant	*Une étudiante*	On ajoute **e** au féminin.	≠
Un informaticien	*Une informaticienne*	On double la consonne **n** et on ajoute **e**.	≠
Un caissier *Un coiffeur* *Un acteur*	*Une caissière* *Une coiffeuse* *Une actrice*	Le féminin s'écrit de manière différente.	≠

(Voir Phonétique de l'Unité 2).

L'adjectif qualificatif

• Les adjectifs changent de forme au féminin. La prononciation peut être différente.

Il est français.   Elle est française.

MASCULIN *Il est...*	FÉMININ *Elle est...*	ÉCRIT	PRON.
sympathique		Le masculin se termine par **e**. Pas de changement.	=
espagnol	*espagnole*	On ajoute **e** au féminin.	=
petit *anglais* *américain*	*petite* *anglaise* *américaine*	On ajoute **e** au féminin.	≠
italien	*italienne*	On double le **n** et on ajoute **e**.	≠
sportif	*sportive*	On remplace le **f** par un **v** et on ajoute **e**.	≠
ennuyeux *vieux* *beau*	*ennuyeuse* *vieille* *belle*	Le féminin s'écrit différemment.	≠

(Voir Phonétique de l'Unité 2).

Les adjectifs s'accordent aussi en nombre (singulier et pluriel). La plupart prennent un **s** à la forme masculine ou à la forme féminine.

Il est grand.   Ils sont grands.
Elle est grande.   Elles sont grandes.

Le présent de l'indicatif

Un verbe peut avoir une ou plusieurs bases, c'est-à-dire, un ou plusieurs radicaux avant les terminaisons du présent.

• Verbes à une base

	PARLER	CHANTER
je	parl-e	chant-e
tu	parl-es	chant-es
il/elle/on	parl-e	chant-e
nous	parl-ons	chant-ons
vous	parl-ez	chant-ez
ils/elles	parl-ent	chant-ent

• Verbes à deux bases

	APPELER	FINIR
je/j'	appell-e	fini-s
tu	appell-es	fini-s
il/elle/on	appell-e	fini-t
nous	appel-ons	finiss-ons
vous	appel-ez	finiss-ez
ils/elles	appel-ent	finiss-ent

• Verbes à plus de trois bases

	ÊTRE	AVOIR
je/j'	suis	ai
tu	es	as
il/elle/on	est	a
nous	sommes	avons
vous	êtes	avez
ils/elles	sont	ont

⚠ À la 1ère, la 2e et la 3e personne du singulier et à la 3e personne du pluriel, les terminaisons **-e**, **-es**, **-e** et **-ent** ne se prononcent pas. À l'oral, on entend seulement /e/.

L'interrogation

• Pour une question totale

On utilise **est-ce que** ou une simple intonation qui monte :

• *Est-ce que tu es français ?*
Tu es français ?
○ *Non, je suis belge.*

⚠ Il existe aussi la forme de l'inversion, peu fréquente dans la langue courante.

• Pour une question partielle

POUR DEMANDER		
Une chose ou une idée	**Que** **Quoi** **Qu'est-ce que**	*Que voulez-vous comme dessert ?* *Vous voulez quoi comme dessert ?* *Qu'est-ce que vous voulez comme dessert ?*
Une personne	**Qui**	*Qui est cette femme ?*
Un lieu	**Où**	*Où vous habitez ?*
Une origine	**D'où**	*D'où tu es ?*
Une manière	**Comment**	*Comment vous dites « ami » en grec ?*
Une cause	**Pourquoi**	*Pourquoi vous étudiez le français ?*

⚠ **Que** se place en tête de phrase et **quoi** après le verbe (mais cette forme n'est pas correcte à l'écrit et ne s'utilise qu'à l'oral).

On entend souvent les Français poser une question avec **Qu'est-ce que...** : cette forme est très utilisée à l'oral, elle n'est pas incorrecte et remplace le **que** ou le **quoi** :

Qu'est-ce que tu fais ce soir ? / Que fais-tu ce soir ?
Qu'est-ce que tu manges ? / Tu manges quoi ?

⚠ Quand la question est **pourquoi**, la réponse commence par **parce que**.

• Pour obtenir une précision sur un nom (quel/le/s/les)

L'accord se fait avec le nom auquel l'adjectif interrogatif (**quel**, **quelle**, **quels**, **quelles**) fait référence.

Quel âge avez-vous ?
Quelle est la nationalité d'Helga ?

15 Reconnaître et reproduire l'intonation de l'affirmation et de l'interrogation

N'oublie pas que tu dois poser beaucoup de questions dans la quatrième partie de l'épreuve (Production orale).

A. Écoute et indique dans le tableau s'il s'agit d'une affirmation ou d'une interrogation.

Piste 01

	Affirmation	Interrogation
1. Guillaume se prépare à un examen		
2. Guillaume se prépare à un examen		
3. Guillaume se prépare à un examen de français		
4. Guillaume se prépare à un examen de français		
5. Valérie part en vacances		
6. Valérie part en vacances		
7. Valérie part en vacances cet été		
8. Valérie part en vacances cet été		

B. Réécoute ces phrases et associe chacune d'elles à une flèche ascendante si l'intonation monte et à une flèche descendante si l'intonation descend.

Piste 01

1		5	
2		6	
3		7	
4		8	

Complète :
Si la phrase est affirmative, l'intonation est
Si la phrase est interrogative, l'intonation est

> L'intonation est souvent le seul élément qui permet de distinguer l'interrogation de l'affirmation.

Il s'appelle Alex ?

C. Écoute les phrases suivantes et mets un point (.) s'il s'agit d'une affirmation ou un point d'interrogation (?) s'il s'agit d'une interrogation. Ensuite, lis les phrases à voix haute en classe pour t'habituer à respecter l'intonation.

Piste 02

Il s'appelle Alex
Son père travaille dans une entreprise française
Son nom et son adresse
Aurélie vient dimanche
Fabien et Stéphane vont au même lycée
Xavier est né aux États-Unis
Virginie aussi
Elle parle couramment chinois
Vous apprenez l'informatique en classe
Thierry a 21 ans cette année
Ses parents arrivent samedi
Il passe ses vacances en Crête
Julie travaille à la poste
Elle ne regarde jamais la télé
C'est son anniversaire demain

L'ANNONCE VOCALE

Dans cette épreuve, vous allez entendre un document du type annonce vocale, similaire à celles qu'on entend dans une gare ou un aéroport. L'enregistrement est très court. L'examinateur le passera deux fois (avec une courte pause entre les deux écoutes).

Piste 03

• Exemple

Transcription :

Dernier appel pour les passagers du vol AF5871 à destination de New York. Vous êtes priés de vous rendre immédiatement porte 38.

1. Cette annonce est :

☐ pour prévenir du retard d'un vol.
☒ pour appeler les passagers retardaires d'un vol.
☐ pour contacter un passager d'un vol.

2. L'annonce concerne :

☒ le vol AF5871.
☐ le vol AF6861.
☐ le vol AF5861.

⤳ Le destinataire de l'annonce est clairement indiqué. L'idée de « retardataires » est implicite : « dernier appel » (pour les passagers qui ne se sont pas présentés aux appels précédents). Il n'est pas question de retard de vol. Si l'annonce est pour un passager, on indique son nom :
Dernier appel *pour M. Durand.*

⤳ Il y a deux informations chiffrées : le numéro du vol et celui de la porte, mais on ne vous demande que la première. Ne perdez donc pas de temps à vouloir comprendre la deuxième.

✎ N'oubliez pas de lire attentivement les questions avant d'écouter le document.

✎ Cette lecture est importante pour vous concentrer sur les éléments essentiels de l'enregistrement et ne pas vous perdre dans des détails inutiles.

✎ Soyez attentif à la différence entre les formes du singulier et celles du pluriel ou celles du masculin et du féminin.

Piste 04

• Exercice I

Vous allez entendre 2 fois un document. Vous aurez 30 secondes de pause entre les 2 écoutes, puis 30 secondes pour vérifier vos réponses. Lisez d'abord les questions.

Vous êtes dans une gare.

1. Il s'agit :

☐ d'un train qui arrive à Bordeaux.
☐ d'un train qui entre en gare de Toulouse.
☐ d'un train qui entre en gare.

2. Ce train se trouve :

☐ quai 12.
☐ quai 2.
☐ quai 10.

• Exercice 2

Piste 05

Vous allez entendre 2 fois un document. Vous aurez 30 secondes de pause entre les 2 écoutes, puis 30 secondes pour vérifier vos réponses. Lisez d'abord les questions.

Répondez aux questions.

1. La personne qui téléphone est :

☐ une amie de Véro.
☐ la maman de Véro.
☐ la sœur de Véro.

2. Quel est le motif de l'appel ?

☐ Demander d'aller faire les courses.
☐ Demander d'aller chercher quelqu'un à l'école.
☐ Demander d'aller chercher quelqu'un à la gare.

3. Où va la personne qui appelle ?

☐ a   ☐ b   ☐ c

• Exercice 3

Pistes 06-09

Vous allez entendre plusieurs petits dialogues correspondant à des situations différentes. Vous aurez 15 secondes de pause après chaque dialogue, puis vous entendrez à nouveau les dialogues et pourrez compléter vos réponses. Lisez d'abord les questions.

Associez chaque situation à un dialogue. Pour chaque situation, mettez une croix pour indiquer **Qui parle ?**, **Qu'est-ce que c'est ?**, **Où est-ce ?** et **De qui on parle ?**.

Situation 1

Qui parle ?	
Deux professeurs	
Deux élèves	
Un professeur et un élève	

Situation 2

Qu'est-ce que c'est ?	
Un anniversaire	
Un mariage	
Un départ	

Situation 3

Où est-ce ?	
Dans un commissariat	
Dans un magasin	
Dans un club de sport	

Situation 4

De qui on parle ?	
De Michaël	
Du voisin de Michaël	
De Didier	

LE MESSAGE

Dans cet exercice, vous allez répondre à des questions simples portant sur une note ou un message écrit à la main.

● **Exemple**

> Flo,
>
> Justine a appelé. Ⓐ Elle passe ce soir à la maison pour organiser l'anniversaire de Phil et prendre sa bague Ⓑ. Ne m'attendez pas pour dîner, j'ai mon cours de danse et puis Ⓒ je vais manger chez Loulou.
>
> Bises
>
> Fabien

✎ Vous devez bien lire la question et ne pas vous précipiter à répondre. La question 2 est un exemple clair d'une erreur possible à cause d'une lecture trop rapide.

1. Justine :

- ☐ rappelle ce soir.
- ☒ passe ce soir.
- ☐ va au restaurant.

Ⓐ Le message dit « elle passe ce soir ».

2. La bague :

- ☐ est le cadeau.
- ☐ n'est pas le cadeau.
- ☒ est celle de Justine.

Ⓑ Le message ne parle pas de cadeau et précise « sa » bague : donc c'est bien celle de Justine.

3. Justine va manger chez Loulou :

- ☐ avant le cours de danse.
- ☒ après le cours de danse.
- ☐ avec Flo.

Ⓒ Le message dit « et puis je vais manger chez Loulou ».

● **Exercice 1**

Lisez ce courriel :

De : Valerie43@yaha.com
À : tous
Objet : anniversaire

Mes chers frères !

Début juillet, notre sœur Amandine va fêter ses 15 ans et son brevet ! Les parents et les grands-parents lui offrent un voyage à New York.

Mais je pense que nous pouvons préparer aussi tous ensemble une petite fête surprise. C'est l'occasion de se retrouver et de rire !

Avez-vous des idées pour l'organisation ? Répondez-moi vite !

Bises

Valérie

1. Ce message s'adresse :

    ☐ à des amis.
    ☒ à des personnes d'une même famille.
    ☐ aux parents de Valérie.

2. Le motif du courriel est :

    ☒ l'anniversaire de la sœur de Valérie.
    ☐ l'anniversaire de la sœur d'Amandine.
    ☐ l'anniversaire des frères de Valérie.

3. Valérie propose :

    ☐ d'offrir un voyage.
    ☐ d'aller au restaurant.
    ☒ d'organiser une fête surprise.

4. Valérie a :

    ☐ un frère et une sœur.
    ☐ deux frères et une sœur.
    ☒ des frères et une sœur.

• Exercice 2

La structure traditionnelle ou nucléaire de la famille (deux parents et des enfants biologiques ou adoptés) n'est plus la seule.

Lisez le cas de Manon.

Manon a 14 ans et est une ado comme beaucoup d'autres de son âge. Ses parents sont divorcés. Elle habite avec sa mère Sandrine. Sandrine ne s'est pas remariée. Elle et sa fille forment ce qu'on appelle une famille monoparentale. Le papa de Manon vit avec Laure, mais ils ne se sont pas remariés, et vivent avec les enfants de Laure : Julien et Marilou. C'est ce que l'on appelle une famille recomposée.

1. Quel est le modèle de famille de Manon quand elle vit avec sa mère ?

....

2. Quel est le modèle de famille du papa de Manon et de Laure ?

....

● **Exercice 3**

La maman de Gwenn vient de passer ce texte à sa fille :

> Salut,
> Est-ce que tu peux aller chercher ton petit frère à l'école ? Je dois aller voir ta grand-mère : elle est malade. Envoie un texto pour dire que vous êtes à la maison. Et pas de télé avant de faire les devoirs ! D'accord ?
> Bises à tous les 2.
>
> Maman

1. Gwenn doit aller chercher son petit frère à l'école parce que :

- ☐ sa mère est malade.
- ☒ sa grand-mère est malade.
- ☐ son père est au travail.

2. Une fois à la maison, Gwenn doit :

- ☒ envoyer un texto à sa mère.
- ☐ envoyer un texto à sa grand-mère.
- ☐ appeler sa mère.

3. Gwenn et son petit frère peuvent-ils regarder la télé ?

- ☐ Non, parce qu'ils ont des devoirs.
- ☐ Oui, parce qu'ils n'ont pas de devoirs.
- ☒ Oui, mais après avoir fait leurs devoirs.

LE FORMULAIRE

Dans cet exercice, vous allez remplir une fiche ou un formulaire à partir d'informations fournies dans l'énoncé. Cet exercice demande, avant tout, une bonne compréhension écrite et toute votre attention pour ne pas remplir les cases avec des informations erronées ou correspondant à une autre case. Il y aura 10 points à remplir. Les fautes d'orthographe ne sont pas pénalisées sauf si elles altèrent le sens d'un mot.

• **Exemple**

Vous voulez vous abonner à un magazine français pour améliorer votre niveau. Vous envoyez ce bulletin d'abonnement que vous avez trouvé sur Internet.

Nom	
Prénom	
Sexe	❑ M ❑ F
Date de naissance (JJ/MM/AA)	
Adresse	
Code postal et ville	
Pays	
N° de téléphone domicile	
Adresse électronique	
Classe fréquentée	
Profession envisagée	
Pour mieux vous connaître	
Vos centres d'intérêts :	❑ Cinéma ❑ Sciences ❑ Sports de glisse ❑ Musique ❑ Voyages ❑ Sports individuels ❑ Littérature ❑ Informatique ❑ Sports collectifs
Quelles langue(s) parlez-vous et apprenez-vous ?	
Où avez-vous entendu parler de notre magazine ?	❑ votre professeur de français ❑ la publicité ❑ Internet ❑ Autre

🖋 Ne confondez pas **nom** (Jugnot, Dupond) et **prénom** (Pierre, Roger, Caroline, Anne). En France, habituellement, on porte le nom du père, mais on peut porter aussi celui de la mère ou les deux. Dans ce cas, on met un tiret entre les deux noms (Jugnot-Dupond). On peut aussi avoir deux prénoms. On écrit la **date de naissance** toujours dans le même ordre : le jour, le mois et l'année.

🖋 Un conseil : inventez-vous un nom pour l'examen.

🖋 Une partie de l'information de cette fiche concerne votre identité ; l'autre partie vous concerne plus particulièrement (**renseignements personnels**).

🖋 Certaines villes n'ont pas de traduction en français. Écrivez le nom de la ville en alphabet latin. Pour celles qui ont un nom en français, connaissez-le avant le jour de l'examen.

🖋 Écrivez le nom du pays en français et sans article. Attention à l'orthographe : vous devez savoir comment il s'écrit et n'oubliez pas que les noms de pays s'écrivent avec une majuscule.

🖋 Il n'est pas important de dire la vérité sur la profession envisagée : n'écrivez pas une profession si vous n'êtes pas sûr(e) du mot français ou de son orthographe.

🖋 Les noms des langues s'écrivent avec un minuscule et sont précédés de l'article (l'anglais, l'italien, le portugais...).

- **Exercice 1**

Pour vous inscrire à l'examen du DELF A1, vous devez remplir la fiche suivante.

Nom :	
Prenoms :	
Âge :	
Classe :	
Adresse :	
n° de téléphone :	
Nationalité :	
Autres langues parlées :	
Où étudiez-vous le français ?	
À quel examen du DELF vous présentez-vous ?	

- **Exercice 2**

Votre professeur vous propose de rédiger un petit texte pour vous présenter sur le site Web de votre classe (50/60 mots).

L'ÉCHANGE D'INFORMATIONS

> Dans cet exercice, vous allez poser des questions à l'examinateur à partir de mots-clés (leur nombre est déterminé par le jury). Ces mots-clés concernent la vie quotidienne.

• Exemple

À partir du mot-clé DOMICILE ?, voici des questions possibles : *Quelle est votre adresse ?*, *Où est-ce que vous habitez ?*, *Quel est votre domicile ?*
Le mot-clé doit vous orienter, mais vous êtes libre de formuler la question à l'oral.

> 🖎 À l'oral, il est normal d'alterner les différentes façons de poser une question :
> *Où est-ce que vous habitez ?* (adverbe interrogatif + **est-ce que**)
> *Où vous habitez ?* (adverbe interrogatif + intonation)
> *Vous habitez où ?* (inversion de l'adverbe interrogatif)
> L'inversion verbe-sujet (*Où habitez-vous ?*) est une forme complexe et peu fréquente à l'oral. Utilisez de préférence les autres formes.
>
> 🖎 La forme la plus courante est **est-ce que**. L'examinateur va apprécier son utilisation !
>
> 🖎 Les adverbes interrogatifs les plus fréquents : **comment**, **où**, **pourquoi**, **quand**, **qui** et **que** (**quoi***).
> ***Que** devient **quoi** en cas d'inversion de l'adverbe interrogatif : *Vous faites **quoi** ?*
> **Que** ne s'utilise pas souvent. On préfère dire *Qu'est-ce que vous faites ?* au lieu de *Que faites-vous ?*
>
> 🖎 Écoutez attentivement les questions que l'examinateur vous pose dans la première partie de l'examen. Cela va vous aider pour votre partie.
>
> 🖎 Vous pouvez aussi utiliser **quel** / **quelle** / **quels** / **quelles** + NOM (les quatre formes se prononcent /kɛl/) :
> **Quel** *est votre métier ?*   **Quelle** *est votre profession ?*
> **Quels** *sont vos sports préférés ?*   **Quelles** *sont vos activités préférées ?*
>
> 🖎 Vous devez poser des questions courtes.

• Entretien dirigé

Répondez aux questions de l'examinateur (entraînez-vous avec votre professeur ou avec un camarade) sur vos goûts ou vos activités.   1 minute

Comment vous vous appelez ?   *Est-ce que vous parlez des langues étrangères ?*
Quel est votre âge ?   *Quelle est votre couleur préférée ?*
Où est-ce que vous habitez ?   *Quel est votre numéro de téléphone ?*

• Échange d'informations

À partir des mots ci-dessous, posez des questions à l'examinateur (entraînez-vous avec votre professeur ou avec un camarade).   2 minutes environ

Nom ?	Frères/sœurs ?	Études ?
Ville ?	Sports ?	Voyager ?

Mon chez-moi et ma ville

2

Dans cette unité, nous allons parler de notre chez-nous et de notre ville

Tout pour...
- décrire et situer un logement
- parler d'une ville et de ses commerces
- s'orienter dans une ville

Tout pour bien utiliser...
- les pronoms interrogatifs *où* et *combien*
- les articles contractés
- les prépositions de lieu *dans, sur, sous*
- *il y a / il n'y a pas*
- l'impératif

Entraînement au DELF scolaire et junior A1
- le message sur répondeur (CO)
- la carte d'invitation (CE)
- la note à rédiger (PE)
- le dialogue simulé (PO)

1 Les différents types de logement

Mets en rapport les photos et les mots.

Tu vas dans une agence immobilière. On te montre des photos de différents logements. Fais correspondre les photos et les noms de logement suivants.

maison ⬚   château ⬚   appartement ⬚   studio ⬚

2 Les pièces

A. Voici le plan du nouvel appartement de Laurent. Il envoie un courriel à ses anciens amis du collège et il explique la disposition des différentes pièces. Complète le courriel avec le vocabulaire des pièces de la maison.

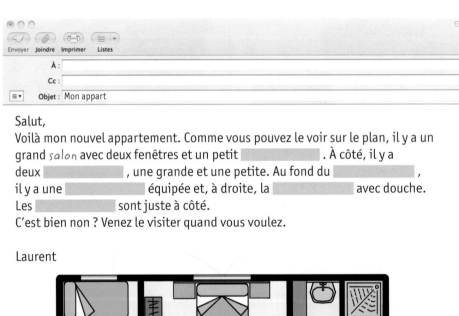

Envoyer   Joindre   Imprimer   Listes

À :
Cc :
Objet : Mon appart

Salut,
Voilà mon nouvel appartement. Comme vous pouvez le voir sur le plan, il y a un grand *salon* avec deux fenêtres et un petit ⬚ . À côté, il y a deux ⬚ , une grande et une petite. Au fond du ⬚ , il y a une ⬚ équipée et, à droite, la ⬚ avec douche. Les ⬚ sont juste à côté.
C'est bien non ? Venez le visiter quand vous voulez.

Laurent

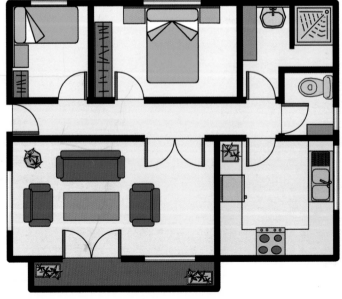

LES ÉLÉMENTS DE LA MAISON
le balcon
la cheminée
la fenêtre
le mur
le plafond
la porte
le sol
la terrasse
le toit

B. Fais un plan de ton appartement. Explique à un camarade de classe sa disposition.

● Là, c'est le salon.
○ Et ça ?
● Ça, c'est...

3 Meubles et prépositions de lieu

A. Dessine les pièces, puis nomme-les.

Au milieu de la pièce, je mets le canapé. Devant une petite table basse et en face de la table, je mets deux gros fauteuils. La télévision et le home-cinéma sont à droite avec la bibliothèque. Derrière le canapé, je mets un tapis de laine avec de gros coussins pour lire ou jouer aux cartes. Voilà !

C'est

Ici je mets le lit, à côté de la fenêtre, contre le mur. En face, à droite de la porte, l'armoire. Entre le lit et l'armoire, je mets un tapis. À côté de l'armoire, il y a un bureau et devant le bureau une chaise. Sur le bureau, il y a mon ordinateur et sur l'étagère, au-dessus du bureau, il y a mes livres et mes cahiers. Sur le mur au-dessus de mon lit, il y a une des photos de tous mes meilleurs copains.

C'est

B. Fais la description de ta chambre et de ton salon.

Dans ma chambre, à côté de la fenêtre, il y a...

C. Donne des instructions à ton/ta camarade pour qu'il/elle dessine le plan de ta chambre ou de ton salon.

● Ici, tu places la table et les chaises. À côté, la bibliothèque...

4 La situation d'un logement

Damien décrit à une amie son logement idéal. À ton tour, présente ton logement idéal.

Pour moi, le logement idéal, c'est une grande maison dans la nature, calme, avec plein d'espace et de lumière.

● Tu préfères habiter en centre-ville ou en banlieue ?
○ Moi, je préfère la banlieue. Et toi ?

DÉCRIRE UN MEUBLE
➤ **Taille**
grand
petit
haut
bas (*basse* au féminin)
➤ **Forme**
carré
rectangulaire
triangulaire
rond
➤ **Matière**
en bois
en plastique
en cuir
en verre

5 Formes et matières

Décris ces quatre meubles.

table basse   table à manger   bibliothèque   fauteuil

La table basse est grande, ...

6 Les commerces et autres lieux de la ville

Retrouve sur ce plan de la ville, le lieu où :

- On obtient des documents administratifs, comme la carte d'identité. ....
- On peut envoyer des lettres et des paquets. ....
- On peut retirer ou déposer de l'argent. ....
- On peut se reposer, se promener, voir un peu de nature. ....
- On prend le train. ....
- On peut demander des renseignements sur la ville. ....
- On va dénoncer le vol d'un vélo, par exemple. ....
- On trouve de tout pour s'habiller, se parfumer ou acheter des Cds. ....
- On peut acheter le pain et les croissants. ....
- On achète ses médicaments. ....

7 Les verbes pour s'orienter

Pauline doit aller chez un ami. Il lui explique par téléphone comment arriver chez lui. Voici la note qu'elle écrit. Complète-la avec les verbes suivants.

> tourner suivre tourner prendre
> traverser passer prendre continuer

Prendre la ligne de métro n°2, s'arrêter à la station Chamberlain, sortir et _____ à droite. _____ dans la rue Jules Verne. _____ tout droit. _____ à gauche, _____ le pont Saint Paul. _____ la direction de la mairie. _____ la mairie. L'immeuble est juste après la mairie.

8 Location pour l'été

Complète ces petites annonces avec les mots de la liste suivante.

> à louer à vendre toute équipée prix de location terrasse
> grand standing ouverte ascenseur à débattre 10 m²
> prix de vente toilettes

Location bord de mer Pays Basque

1. Maison à louer juillet-août.

160 m² : grand salon, 4 chambres (8 couchages), 2 sdb, cuisine _____ garage. Jardin avec accès plage.
_____ : 8 000 euros / semaine

2. _____ cause départ à l'étranger.

Appartement dans résidence _____ : 3 chambres, 2 sdb, cuisine _____ sur salle à manger. Grande _____ sur parc.
_____ : 520 000 euros

3. À vendre

Chambre de bonne, Paris (6ᵉ), _____, 5ᵉ étage sans _____, sdb et _____ au fond du couloir.
Très bon état. Pour tout renseignement, écrire à infov@emdl.fr
Prix : _____

POUR DONNER UNE DIRECTION

➤ À quelqu'un que vous ne connaissez pas
Prenez la rue et tournez à droite.
Vous prenez la rue et vous tournez à droite.
Vous devez prendre la rue et (vous devez) tourner à droite.

➤ À quelqu'un que vous connaissez
Prends la rue et tourne à droite.
Tu prends la rue et tu tournes à droite.
Tu dois prendre la rue et (tu dois) tourner à droite.

➤ Pour prendre des notes
Prendre la rue et tourner à droite.

ABRÉVIATIONS DES PETITES ANNONCES

appt.	appartement
ch.	chambre
cuis.	cuisine
ét.	étage
F3	3 pièces (salon/salle à manger + 2 chambres) + cuisine + salle de bain
gar.	garage
im.	immeuble
p.	pièce
pkg.	parking
RDC	rez-de-chaussée
sdb.	salle de bain

LES 22 RÉGIONS ADMINISTRATIVES FRANÇAISES

L'Alsace
L'Aquitaine
L'Auvergne
La Basse-Normandie
La Bourgogne
La Bretagne
Le Centre
La Champagne-Ardenne
La Corse
La Franche-Comté
La Haute-Normandie
L'Île-de-France
Le Languedoc-Roussillon
Le Limousin
La Lorraine
Midi-Pyrénées
Le Nord-Pas-de-Calais
Les Pays-de-la-Loire
La Picardie
Le Poitou-Charentes
La Provence-Alpes-Côte d'Azur
Rhône-Alpes

9 Les articles contractés

A. Ces articles se contractent : relie les formes correctes.

de le ▪   ▪ aux
à le ▪   ▪ des
à les ▪   ▪ au
de les ▪   ▪ du

B. Complète le texte avec les articles contractés ci-dessus.

Lille

L ille est une grande ville française de la région Nord-Pas-de-Calais et la capitale _____ département _____ Nord. Avec plus d'un million et demi d'habitants, elle est la troisième métropole francophone _____ monde, après Paris et Montréal.

Un des grands attraits de la ville est le carnaval. Chaque année, _____ mois de mars, le cortège _____ chars défile dans toute la ville. _____ terrasses des cafés, _____ balcons ou dans la rue, tout le monde regarde cette grande parade _____ multiples couleurs accompagnée de fanfares.

10 Les prépositions de lieu

Trouve les différences entre les deux dessins.

Sur le dessin A, la table est au centre. Sur le dessin B, la table est devant la porte...

GRAMMAIRE

11 Il y a / Il n'y a pas

Lis ce que Paul dit sur son quartier. D'après ces informations, dis ce qu'il y a et ce qu'il n'y a pas.

Dans mon quartier, tous les petits commerces sont dans la rue principale et tu trouves tous les services : salle de sports, piscine, centres médicaux, écoles primaires. Mais si tu as l'habitude d'aller au supermarché, il faut aller à l'extérieur de la ville. Le collège et le lycée sont de l'autre côté de la ville... Il faut se lever tôt ! Pour les loisirs, c'est génial ! Tu as un cinéma juste à côté de la salle de sports et puis on trouve quatre terrains de tennis de l'autre côté de la rue ! C'est très pratique pour un sportif comme moi. Mais il n'y a pas de métro... Il faut prendre le bus ou alors le tram. Mon quartier est moderne, les immeubles ne sont pas très beaux et puis il n'y a pas de parc... C'est dommage !

Dans le quartier de Paul, il y a...   Et dans son quartier, il n'y a pas...

12 Les verbes au présent

Niels écrit à Nicolas pour lui expliquer comment venir chez lui. Mais il hésite entre deux verbes... Peux-tu l'aider à choisir le bon verbe et à le conjuguer ?

Envoyer Joindre Imprimer Listes

À : nico@yaha.com
Cc :
Objet : Trajet

Salut Nico !

Comme tu dois venir chez moi à vélo la semaine prochaine je t' indiquer / montrer _____ la route à suivre.
Après le village de Colombes, tu tourner / quitter _____ à droite et là, il devoir / falloir _____ prendre / donner _____ le 1er chemin de terre tout à droite.
Tu aller / passer _____ devant une grande maison blanche dans un parc et tu continuer / suivre _____ la direction « Mas des Laugiers » à droite. Tu fais encore 500m et tu venir / arriver _____ .

Je suis vraiment content de te revoir.

Niels

PS : en fait, il falloir / devoir _____ prendre toujours à droite !
Tu ne devoir / falloir _____ pas tourner à gauche.

EXPRIMER L'OBLIGATION
> Devoir
  Après 500 mètres, tu dois passer un pont.
> Il faut + INFINITIF
  Il faut prendre à droite après la station de métro.
> Il faut + NOM
  Pour acheter un appartement, il faut de l'argent.

13 L'impératif

A. À l'office du tourisme de Cannes, tu trouves ce prospectus du mois de mai en mauvais état : des verbes manquent. Complète le prospectus avec cette liste de verbes.

> se diriger   aller (x2)   s'asseoir   filmer   admirer
> déguster   prendre   monter   essayer

Le mois de mai à Cannes c'est super ! Si vous voulez passer une journée inoubliable, voici ce que vous pouvez faire : le matin, les stars dorment encore !
Alors, _____ au marché Forville, _____ des fruits frais et _____ sur la plage pour les déguster. Puis _____ la colline du Suquet pour avoir une superbe vue sur la ville et _____ des photos. À midi, déguster une socca ou une salade niçoise sur le port et _____ les yachts. Enfin, vers 16 heures, _____ vers le palais des festivals sur la Croisette pour commencer à regarder les stars arriver. _____ d'avoir des autographes et _____ la fameuse montée des marches...

B. Tu écris à un ami pour lui transmettre les informations du prospectus sur Cannes.

Pour passer une superbe journée à Cannes, va d'abord au marché, puis...

14 Les pronoms interrogatifs : *où, combien*

A. Réponds à ces questions, il n'y a qu'une seule réponse possible.

Combien d'habitants y-a-t-il en France ?
☐ les Français   ☐ 60 millions   ☐ blonds

Où on va ?
☐ du cinéma   ☐ un parc scientifique   ☐ au théâtre

B. Pose les questions qui correspondent aux informations suivantes :

La Corse est au sud de la France. ....
Il y a 99 départements en France. ....
La Côte d'Azur se trouve au bord de la Méditerranée. ....
Il y a 16 000 kilomètres de Tahiti à Paris. ....

POUR TROUVER DES RENSEIGNEMENTS TOURISTIQUES
On peut aller ou téléphoner à un office du tourisme.
On peut aussi aller sur Internet, par exemple sur les sites suivants :
http://fr.franceguide.com/
http://www.francetourisme.fr/
http://www.site-france.com/
http://www.tourisme.fr/
http://www.1001france.com.fr/

Les articles contractés

- Les prépositions **à** et **de** changent de forme quand elles sont suivies des articles définis **le** et **les**.

⚠️ *Je vais **au** cinéma une fois par semaine.*
~~*Je vais à le cinéma une fois par semaine.*~~

⚠️ *Le samedi, j'achète **aux** grands magasins.*
~~*Le samedi j'achète à les grands magasins.*~~

⚠️ *Je reviens **du** Danemark et **des** Pays-Bas.*
~~*Je reviens de le Danemark et de les Pays-Bas.*~~

- Avec l'article défini **la** et **l'**, il n'y a pas de changement.

Elle va à la piscine tous les jours ou
Elle revient de la piscine à 20 heures.
Il travaille à l'hôpital depuis 5 ans ou
Il revient de l'hôpital voir sa mère.

Se situer dans l'espace

loin de / au centre de / sur / à droite / à côté de

derrière / à gauche / sous / autour de / devant

Il y a / il n'y a pas de

- *Il y a* **un** théâtre dans ma ville.
une piscine au centre-ville.
des plantes sur mon balcon.

- Mais attention, à la forme négative, on utilise uniquement la préposition **de**.

Il n'y a pas de théâtre dans mon quartier.
piscine près de chez moi.
plantes dans le salon.

Le présent de l'indicatif

- **Verbes à deux bases**

	SUIVRE
je	**sui**s
tu	**sui**s
il/elle/on	**suit**
nous	suivons
vous	suivez
ils/elles	suivent

- **Verbes à trois bases**

	PRENDRE	DEVOIR
je	prends	**doi**s
tu	prends	**doi**s
il/elle/on	prend	**doi**t
nous	**pren**ons	devons
vous	**pren**ez	devez
ils/elles	**pren**nent	**doi**vent

- **Verbes à plus de trois bases**

	ALLER
je	**vais**
tu	**vas**
il/elle/ on	**va**
nous	**allons**
vous	**allez**
ils/elles	**vont**

L'impératif

- Il se conjugue sans sujet.
Pour beaucoup de verbes, l'impératif se forme sur le présent de l'indicatif.

PRÉSENT DE L'INDICATIF	IMPÉRATIF
Tu finis rapidement ton travail.	**Finis** ton travail rapidement !
Vous prenez deux croissants.	**Prenez** deux croissants !
Nous buvons un café au bar.	**Buvons** un café au bar !

⚠️ Attention avec les verbes en **-er**, le **-s** de la deuxième personne du singulier disparaît.

*Mange des fraises, elles sont très bonnes ! (Tu mange**s**)*

- Certains verbes sont irréguliers :

	ÊTRE	AVOIR
je/j'	**sois**	**aie**
nous	**soyons**	**ayons**
vous	**soyez**	**ayez**

Les pronoms interrogatifs où et combien

- **Où** s'utilise pour le lieu.

Où est la Tour Eiffel ?

- **Combien** s'utilise pour la quantité.

Combien il y a de personnes dans la salle ?

15 Faire la différence entre le masculin et le féminin

Piste 10

A. Écoute les adjectifs suivants et indique quelle est la dernière lettre (ou groupe de lettres) que tu entends au masculin et la dernière que tu entends au féminin.

petit	....i....	petite	....t....
joli	....	jolie	....
spacieux	....	spacieuse	....
ensoleillé	....	ensoleillée	....
agréable	....	agréable	....
sympathique	....	sympathique	....
spécial	....	spéciale	....
laid	....	laide	....
optionnel	....	optionnelle	....
décoratif	....	décorative	....
bon	....	bonne	....

B. Classe en deux colonnes les adjectifs de l'exercice précédent.

PRONONCIATION MASC.≠FÉM	PRONONCIATION IDENTIQUE

petit
petite
petit
petite

En français, quand on parle...
☐ on fait systématiquement la différence entre l'adjectif masculin et l'adjectif féminin.
☐ généralement, au féminin, on prononce la dernière consonne et, au masculin, on prononce la dernière voyelle de l'adjectif.

Attention : on prononce le **f** final du masculin /f/ dans les adjectifs comme *actif, positif*... Le /f/ devient /v/ au féminin : actif /aktif/ - active /aktiv/.

N'oubliez jamais de faire la différence entre l'orthographe d'un adjectif (souvent différente : ensoleillé/e) et sa prononciation (souvent identique : ensoleillé/e = /ɑ̃sɔleje/).

LE MESSAGE SUR RÉPONDEUR

Dans cet exercice, vous allez entendre un message simple laissé sur le répondeur (d'un téléphone) ou la boîte vocale (d'un téléphone portable). Vous devez cocher les réponses correctes à partir de 3 ou 4 petits questionnaires à choix multiple, puis identifier l'auteur du message ou son destinataire et le sens général du message. On ne vous demande pas de tout comprendre mais de savoir extraire l'information essentielle à partir de plusieurs réponses possibles. Vous devez aussi identifier des chiffres (l'heure, un numéro de téléphone).

Piste 11

• Exemple

Observez les questions et les réponses commentées à l'aide de la transcription.

Transcription :

Bonjour, ici Mme Layec. Je vous appelle de la part de M. Court. C'est au sujet du studio à louer pour votre fils étudiant en médecine. J'ai un studio juste à côté de la faculté. Merci de me rappeler avant 19h s'il vous plaît au 02 97 40 37 54.

1. Qui téléphone ?

[X] Mme Layec.
[ ] Un étudiant en médecine.
[ ] M. Court.

➤ La réponse est « Mme Layec » parce qu'on entend « **Ici, Mme Layec** ».
Ici + nom = la personne qui appelle.

2. Quel est le motif de l'appel ?

[ ] Mme Layec cherche un appartement.
[ ] M. Court cherche un appartement.
[X] Le destinataire du message cherche un appartement.

➤ La réponse est « Le destinataire du message cherche un appartement » parce qu'on entend **c'est au sujet de votre recherche de logement.**
au sujet de = indique le motif de l'appel.
votre = indique que la personne qui cherche le logement est le destinataire du message.

3. Qu'est-ce qu'on propose ?

[X] Un studio.
[ ] Un appartement.
[ ] Une chambre de bonne.

➤ La réponse est « un studio » parce qu'on entend « **J'ai un studio** ». Les détails sur la situation du studio n'ont pas d'importance ici. Il n'y a pas de question sur ce sujet.

4. Quelle est l'heure limite pour téléphoner ?

[ ] 18h
[X] 19h
[ ] 20h

➤ La réponse est « 19 » parce qu'on entend « **Merci de me rappeler avant 19h** ».

5. Quel est le numéro de téléphone ?

02 97 40 37 54

Généralement, les questions portent sur des chiffres difficiles du français standard :
– 80 et 90, ainsi que leurs dérivés, sont souvent confondus entre eux et avec 40 et ses dérivés ;
– 60 et 70, ainsi que leurs dérivés, sont souvent confondus entre eux. Apprenez à bien les distinguer avant l'examen.

Piste 12

• Exercice 1

1. Le professeur est en :

☐ salle 308.
☐ salle 310.
☐ salle 318.

2. À quel étage doit-il se rendre ? ....

Piste 13

• Exercice 2

1. Qui téléphone ?

☐ La petite sœur.
☐ Mitch.
☐ Un membre de la famille.

2. Le nouvel appartement se trouve :

☐ au centre-ville.
☐ près de la fac'.
☐ dans un quartier calme.

3. La fête a lieu le ....

4. Le n° de téléphone de Mitch est le 06 .... 46 10 37.

Pistes 14-17

• Exercice 3

Associez chaque situation à un dialogue. Pour chaque situation, mettez une croix pour indiquer **Où est-ce ?** ou **Qu'est-ce qu'on demande ?**

Situation 1

Où est-ce ?	
dans une agence immobilière	
dans l'appartement d'un copain	
dans un hôtel	

Situation 2

Qu'est-ce qu'on demande ?	
La location d'une petite maison à la campagne	
La location d'un appartement à la mer	
La location d'une petite maison sur la côte	

Situation 3

Où est-ce ?	
À la charcuterie	
À la poissonnerie	
À la boulangerie	

Situation 4

Qu'est-ce qu'on demande ?	
Comment arriver à la pharmacie	
Comment arriver à l'hôtel	
Comment arriver au collège	

LA CARTE D'INVITATION

Dans cet exercice, vous allez lire un texte court et simple qui contient des informations élémentaires en relation avec la vie quotidienne (invitation, proposition, description). Vous devez ensuite répondre à un questionnaire à choix multiple (vous n'écrirez pas ou vous recopierez simplement une information du texte).

● Exemple

1. Qui a écrit le document ? ⟶ Observez la signature.

Corentin

2. C'est : ⟶ Le texte dit « **on vous invite** ». N'oubliez pas que dans la langue parlée, **on** remplace souvent **nous**.

☐ une réponse à une invitation.
☒ un message d'invitation.
☐ l'annonce de l'inauguration d'un magasin.

3. Ce document... ⟶ Le texte dit « **Appelez-nous pour confirmer votre présence au... »**.

☒ attend une réponse téléphonique.
☐ n'attend pas de réponse.
☐ attend une réponse écrite.

4. Que doivent apporter les invités ? ⟶ Corentin demande aux invités d'amener des boissons.

Salut à tous !

Pour fêter mon arrivée dans le même immeuble que Théo, on vous invite tous et toutes à notre super soirée samedi 31. On commence à 21h. On s'occupe de tout ce qui se mange (toasts, salades, quiches...). À vous de vous occuper des boissons. Appelez-nous pour confirmer votre présence au 06 34 50 32 38 (Théo) ou au 04 94 33 35 36 (c'est le mien).

On vous attend.

À +

Corentin

5. À partir de quelle heure les invités peuvent-ils se présenter ?

21h

✎ Il s'agit d'une lecture globale. On ne vous demande pas de tout comprendre : ne vous arrêtez pas sur un mot ou une expression que vous ne connaissez pas, les questions ne portent pas sur des détails mais sur le sens global.

✎ Le document d'invitation ou d'information peut être amical ou personnel (un parent ou un ami vous écrit), administratif (un organisme officiel) ou commercial (publicité d'un produit ou d'un magasin, par exemple).

● **Exercice 1**

Vous venez de recevoir ce courriel :

Envoyer Joindre Imprimer Listes	
À :	sam@loulou.com
Cc :	
Objet :	fête de fin d'année

Salut Sam' !

Nous organisons une fête de fin d'année le samedi 24. Nous voulons aussi vous montrer le programme de nos prochaines vacances sur le blog de notre copain Salim. Ce sera l'occasion de nous revoir, de parler de l'année scolaire, de nos futures vacances et surtout de manger un couscous préparé par Salim et sa mère.
Tu peux venir avec ta nouvelle copine, on a très envie de la connaître. Je peux te demander d'apporter des boissons ? Ce serait sympa de ta part. Fred et Pat apportent des glaces.
On vous attend vers 20h30.
À très bientôt

Clara

1. Qui a écrit ce message ?

....

2. C'est un message :

☐ de type amical.
☐ de type scolaire.

3. Pourquoi est-ce que cette personne a écrit ce message ?

☐ Pour informer d'une fête chez Salim.
☐ Pour inviter Sam' à passer le samedi 24 chez les parents de Salim.
☐ Pour inviter Sam' et sa petite amie à une soirée.

4. Que demande d'apporter la personne qui écrit ce message ?

☐ Un couscous.
☐ Des glaces.
☐ Des boissons.

5. À quelle heure est fixé le rendez-vous ?

....

● **Exercice 2**

Une amie allemande de votre famille vient faire un programme Erasmus en France. Aidez-la à comprendre et à choisir la bonne annonce, si :

1. elle cherche un studio à Poitiers : ....

2. elle veut habiter à moins de 5 minutes du centre-ville et elle ne veut pas acheter de meubles : ....

Annonce 1

À louer studio dans centre de Poitiers.
Prix : 400,00 € Non meublé. Idéal
étudiants.
Tél. 06 34 42 03 44

Annonce 2

Étudiant cherche studio,	Tél. 06 82 13 31 83
meublé de préférence.	Tél. 06 82 13 31 83
Centre-ville Poitiers.	
Prix max. 400,00€.	Tél. 06 82 13 31 83

Annonce 3

Particulier loue petit appartement (2 chambres)
non meublé, cuisine équipée, près de l'université
à 5 min à pied. Prix : 650,00 €. Idéal
colocation étudiante.
Tél. 06 42 86 40 01

Annonce 4

Loue appartement	Tél. 06 71 38 33 02
2 chambres, meublé et	Tél. 06 71 38 33 02
équipé. À 5 min à pied du	
centre-ville. Prix : 730€	Tél. 06 71 38 33 02
(charges comprises).	Tél. 06 71 38 33 02

● **Exercice 3**

Lisez le texte ci-dessous et répondez aux questions.

Dans une chambre d'ado, le plus important c'est le lit ! Il doit être de bonne qualité car la croissance rend le dos des adolescents fragile.
Une fois que le lit est placé dans la chambre, vous pouvez décorer la pièce.
Comme l'ado téléphone, lit, regarde des films, écoute de la musique... vit sur son lit, prévoyez des éléments de confort comme des coussins, des plaids... Ce qui permet aussi de le transformer en canapé en mettant les coussins contre le mur.
Même si l'ado passe son temps sur son lit, il a besoin d'un bureau et d'étagères pour ses livres et ses cahiers ! Il doit aussi avoir une chaise de bureau confortable pour avoir une bonne position assise.
La lumière aussi est importante : placer le bureau du côté de la fenêtre permet d'économiser de l'électricité.
Peignez ou tapissez les murs de couleur unie car filles ou garçons les recouvrent toujours de posters et d'images...
La chambre doit absolument pouvoir se fermer car l'adolescent a besoin de son intimité. N'oubliez pas de frapper avant d'entrer !

1. Parmi ces trois titres, lequel correspond le mieux à l'article ?

☐ La chambre de l'adolescent français
☐ La décoration d'une chambre d'ado
☐ La chambre de l'adolescent

2. Dans leur chambre, où les ados passent-ils le plus de temps ?

....

3. Parmi ces phénomènes, deux représentent l'attitude des ados dans leur chambre. Cochez-les :

☐ Ils téléphonent assis à leur bureau.
☐ Ils préfèrent leur lit à leur bureau.
☐ Ils collent des posters sur les murs.
☐ Ils préfèrent leur canapé au lit.
☐ Ils économisent de l'électricité.

4. De quoi l'adolescent a-t-il absolument besoin ?

....

LA NOTE À RÉDIGER

Dans cet exercice, vous devez rédiger un petit texte d'une soixantaine de mots. Vous devez donner quelques instructions simples (aller acheter quelque chose, rapporter un objet ou aller en chercher un). Vous disposez d'une série de renseignements nécessaires pour la rédaction du message.

• Exemple

Vous habitez chez vos parents (1). Vous leur laissez une note pour leur dire que vous allez travailler les maths chez une copine (2) et vous leur demandez s'il peuvent vous acheter un CD sur Internet (3). Vous leur dites qu'une personne a téléphoné (4) et qu'elle rappellera (5). Vous leur dites aussi que vous rentrez pour manger vers 20h (6).

🖊 Elle s'adresse normalement à une personne qu'on connaît bien (un membre de la famille, un ami, un colocataire) : on utilise **tu** si on s'adresse à une seule personne.

🖊 Elle comprend une formule d'introduction très simple (**Salut**) / simplement le prénom / un surnom (Gégé pour Gérard, JP pour Jean-Pierre ou Jean-Paul) ou un nom affectif (maman pour mère, frangin/e pour frère/sœur).

🖊 La formule finale est aussi très simple : **À demain / À ce soir / À plus** (souvent écrit **À +**) qui peut être complétée par **Bises / Je t'embrasse**.

🖊 Le vocabulaire des instructions va vous aider pour votre rédaction.

🖊 Quelques formes utiles dans une note : **Est-ce que tu peux aller chercher / acheter / dire… ?, rapporter, rappeler.**

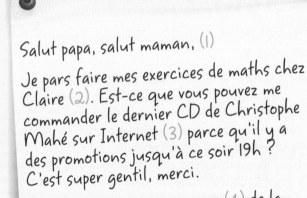

Salut papa, salut maman, (1)

Je pars faire mes exercices de maths chez Claire (2). Est-ce que vous pouvez me commander le dernier CD de Christophe Mahé sur Internet (3) parce qu'il y a des promotions jusqu'à ce soir 19h ? C'est super gentil, merci.

Il y a un message pour vous (4) de la part d'une amie. Elle va rappeler plus tard (5). Je rentre pour 20h (6): vous pouvez m'attendre pour manger ?

À plus tard

Je vous embrasse

Marianne

• Exercice 1

Vous laissez une note à votre frère ou votre sœur pour lui dire que vous allez au cinéma avec des copains. Vous lui demandez s'il / elle veut vous retrouver plus tard. Vous l'informez que son téléphone portable est dans sa chambre et qu'il / elle a reçu plusieurs messages. (40-50 mots)

LE DIALOGUE SIMULÉ

Dans cet exercice, vous allez simuler une situation ou jouer un rôle. Votre partenaire sera l'examinateur. Vous devez obtenir un bien (vous voulez acheter un objet ou quelque chose à manger chez un commerçant) ou un service (vous voulez aller dans une agence pour acheter un billet d'avion ou louer un appartement). L'examinateur va vous expliquer la scène et vous distribuer des cartes où est représenté l'objet ou le service souhaité, ainsi que les pièces ou billets nécessaires pour son acquisition. Vous devez montrer vos compétences et vos stratégies pour obtenir ce bien ou ce service.
L'exercice est court : 2 minutes environ.

• Exemple

Vous êtes dans une agence immobilière et vous cherchez un petit studio à partir de la rentrée prochaine.

- *Bonjour, je voudrais louer un logement à partir de la rentrée.*
- *Bien sûr. Quel type de logement est-ce que vous cherchez ?*
- *Est-ce vous pouvez parler plus lentement, s'il vous plaît ?*
- *Oui. Quel type de logement est-ce que vous cherchez ? Grand ? Petit ? En centre-ville ?*
- *Je cherche un petit studio mais pas en centre-ville.*
- *D'accord. Vous voulez un studio équipé ?*
- *Pardon, je ne comprends pas votre question ?*
- *Est-ce que vous voulez un studio avec des meubles ? Nous en avons un.*
- *Oui, si possible. Quel est son prix, s'il vous plaît ?*
- *Le loyer est de 487 euros par mois.*
- *Excusez-moi, vous pouvez répéter, s'il vous plaît ?*
- *Oui, 487 par mois.*
- *Je vais réfléchir. Est-ce que je peux vous téléphoner demain ?*
- *Oui. Alors j'attends votre appel.*
- *Très bien. Merci, Monsieur. Au revoir.*
- *Au revoir.*

Pour demander un objet ou un service : **Je voudrais** une baguette / un billet d'avion pour Rio. Demander un prix : **C'est combien ?**

Dans une boutique, n'hésitez pas à ponctuer vos questions de **s'il vous plaît** et à dire **merci** quand on vous donne l'objet ou quand on vous rend la monnaie. Dans une agence, vous pouvez dire **merci (bien)** à la fin de la conversation, une fois le service obtenu et payé.

Vous ne pouvez pas prévoir toutes les questions. Ce n'est pas un problème. L'examinateur va apprécier votre capacité de réaction :
- Demandez de répéter si vous n'avez pas compris (**excusez-moi, je n'ai pas (bien) compris votre question / excusez-moi, est-ce que vous pouvez répéter** (la phrase, le prix...), **s'il vous plaît ? / pardon ? / Qu'est-ce c'est ... ?**)
- Remerciez pour la répétition ou l'explication : **merci (bien) / merci, c'est gentil.**
- Demandez, si necessaire, de parler plus lentement : **est-ce que vous pouvez parler plus lentement, s'il vous plaît ?**

Ces petites phrases seront appréciées et montreront votre capacité à faire face à une situation de communication et à surmonter les obstacles linguistiques qui peuvent se présenter.

N'oubliez pas que dans ces situations vous devez utiliser systématiquement **vous**.

Saluez votre examinateur (vous jouez une scène) : **Bonjour, Monsieur/Madame.**

Ne lui serrez pas la main. Quand vous entrez dans une boutique ou une agence, il n'y a pas de contact physique.

À la fin de la scène, n'oubliez pas de conclure en sortant de la boutique ou l'agence imaginaire avec une formule appropriée : **Merci, Monsieur/ Madame, Au revoir.**

Dans une agence, vous pouvez éventuellement accompagner cette formule d'une poignée de main.

Dans l'examen, vous ne jouerez jamais le rôle du marchand ou de l'employé. Mais vous pouvez vous entraîner avec un/e camarade à faire les deux rôles.

• **Échange d'informations**

À partir des mots ci-dessous, posez des questions à votre camarade de classe, puis répondez à votre tour à ses questions. Ces mots sont purement indicatifs. Vous pouvez complétez vos questions à partir des réponses obtenues.

Maison ?	Campagne ?	Parents ?
Chambre ?	Bus ?	Cher ?
Appartement ?	Centre-ville ?	Frères et sœurs ?
Métro ?	Calme ?	Spacieux ?

• **Dialogue simulé**

Vos parents veulent déménager et vous demandent de venir avec eux à l'agence immobilière : ils recherchent un appartement plus grand pour le mois de septembre.

Mes activités et mes passions

3

Dans cette unité, nous allons parler de ce que nous aimons et de ce que nous n'aimons pas

Tout pour...
- exprimer les goûts et les préférences
- décrire des vêtements et des couleurs
- parler des loisirs
- faire des achats

Tout pour bien utiliser...
- les adjectifs démonstratifs
- la quantité
- le conditionnel de politesse
- les formes pour exprimer l'accord ou le désaccord

Entraînement au DELF scolaire et junior A1
- l'association dialogue-image (CO)
- la petite annonce (CE)
- l'association image-légende (PE)
- le dialogue simulé (l'évaluation) (PO)

1 Les verbes pour exprimer le goût

A. Sur le modèle de la marguerite, ordonne les pétales du sentiment le plus positif au plus négatif.

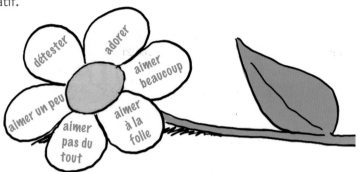

B. Fais une liste de choses que tu aimes ou que tu n'aimes pas.

J'aime le sport...

● *J'aime beaucoup le cinéma, et toi ?*
○ *Oui, moi aussi, j'aime.*

2 Les vêtements

A. Retrouve les valises de chacun des trois copains qui partent en vacances dans des endroits différents.

Julien part faire de la randonnée dans les Alpes.

Tim part à Paris à l'anniversaire de mariage de ses grands-parents.

Amandine part en Bretagne avec ses parents assister au mariage de la petite sœur de sa mère.

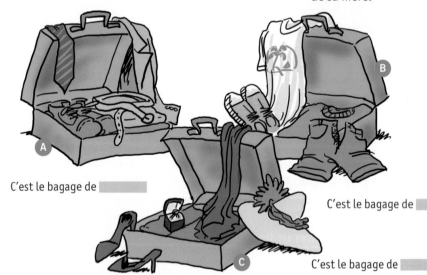

C'est le bagage de ▢

C'est le bagage de ▢

C'est le bagage de ▢

B. Dis ce que Tim, Julien et Amandine emportent.

Tim va à Paris, il emporte...

C. Et toi, dis ce que tu mets pour aller :

passer Noël en famille ....
à l'école ....

à un pique-nique ....
à la plage ....

● *Quels vêtements portes-tu le week-end ?*
○ *Je porte un jeans...*

● *Qu'est-ce que tu mets pour aller à l'entraînement de sport ?*
● *Je mets un survêtement...*

3 Les couleurs

Quelles couleurs évoquent pour toi ces mots ou expressions ?

le soleil *Le soleil, c'est le jaune.*
une tomate *c'est le rouge*
l'herbe *c'est le vert*
la nuit *c'est le noire*
la neige *c'est le blanche*

un ciel de beau temps *c'est le bleu*
un ciel de pluie *c'est le gris*
le chocolat *c'est le marron*
une clémentine *c'est l'orange*
un petit cochon *c'est le rose*

4 Activités de loisirs

A. Minae et ses copines veulent s'inscrire à une activité tout au long de l'année. Elles voudraient bien choisir la même pour être ensemble, mais elles ont des goûts différents : Minae est peu sportive mais aime la nature, Larissa est assez artiste et aime les activités calmes et Valérie aime bouger et aime tout ce qui est étranger. Elles regardent les annonces suivantes sur Internet. Dis ce que chacune d'entre elles peut faire.

Minae peut faire ...

LES COULEURS

noir/e
gris/e
blanc/blanche
beige
marron
rouge
rose
orange
jaune
vert/e
bleu/e
violet

CLUB DE NATATION
Les dos fins
Piscine couverte. Ouverte tous les jours. Cours du lundi au vendredi de 18h à 20h. www.dosfins.emdl

Zen
Vivez en harmonie avec vous-même Cours de Taï qi et de Qi gong du lundi au vendredi de 17h à 18h et de 18h à 19h. Stages le premier week-end de chaque mois. www.zen.emdl

AUX IMPRESSIONNISTES
Nos cours de peinture sont ouverts à tous ! Les débutants sont les bienvenus. Horaires libres le soir à partir de 17h et le samedi matin : un professeur est toujours à votre disposition pour vous aider et vous guider.
www.auximpressionistes.emdl

Besoin de grands espaces ? d'air pur ? de nature ?

Le club Rando
vous propose de venir marcher dans les plus belles forêts de la région dans une ambiance vraiment amicale tous les dimanches. Inscriptions le jeudi au

05 06 10 20 35.

Vous voulez être en forme et oublier votre chaise d'école ?

Mister Sporty
va vous aider ! Dès les cours finis, venez bouger en rythme, pédaler, courir...
www.mistersporty.emdl

L'école de musique
de Mlle Sorel propose de nouveaux cours de piano à partir du 15 septembre. Attention ! places limitées.
Contact : sorel&emdl.fr

La Glisse
Vous adorez glisser ? que ce soit sur l'eau, le bithume ou la neige ? Bienvenue chez nous... Toute l'année nous vous initions aux joies et aux sensations du skate-board, wave-board, surf des neiges, kite-surf...
Informations sur
www.laglisse.emdl

B. Y a-t-il une activité qu'elles peuvent faire ensemble ? Laquelle ?

5 Les commerces

A. Elmer est à Montpellier et veut acheter des souvenirs de la région pour ses parents et ses copains. Dis dans quels magasins il peut trouver les souvenirs suivants :

- ◇ un tee-shirt pour son frère
- ◇ des espadrilles ou chaussures en corde pour sa sœur
- ◇ de l'huile d'olive pour sa mère
- ◇ des herbes de Provence pour sa tante
- ◇ une fougasse, un pain traditionnel, pour sa famille
- ◇ une serviette de plage pour son père

LES COMMERCES

une boulangerie, une pâtisserie, une épicerie, un supermarché, une librairie, un kiosque à journaux, une pharmacie, une parfumerie, etc.

⚠ Pour certains commerces qui n'ont pas de nom : **magasin de** + type de produits
J'achète un pantalon dans un magasin de vêtements.

Pour acheter un tee-shirt, il va dans un magasin de vêtements...

B. À deux, parlez des choses que vous voulez rapporter de France après un voyage et dites où vous pouvez les trouver.

LES PROFESSIONNELS

➤ **Marchand de** + type de produits
marchand de fruits et légumes, marchand de fleurs, marchand de journaux, marchand de fromages, etc.

➤ **Chez** + professionnel
chez le dentiste, chez le docteur, chez le pharmacien, chez l'épicier, chez le marchand de fruits et légumes, chez le marchand de fleurs, etc.

- • Si je vais en France, je veux acheter un fromage.
- ○ Et où tu l'achètes ?
- • Au supermarché. Et toi, qu'est-ce que tu veux rapporter ?

6 Achats

A. Indique l'ordre du dialogue dans un magasin de vêtements.

> **DEMANDER ET DONNER UN PRIX**
> *Ça fait combien ?*
> *Combien ça coûte ?*
> *Elle coûte combien cette veste ?*
> *Cette veste, elle est à combien ?*

- ☐ Demander si on peut payer par carte de crédit ou en chèque.
- ☐ Prendre congé.
- ☐ Indiquer le vêtement souhaité.
- ☐ Demander à essayer un ou plusieurs vêtements.
- ☐ Saluer.
- ☐ Demander des renseignements sur la taille, la couleur, la matière et le prix du vêtement.

B. Complète ce dialogue.

- ● _____ Madame !
- ○ _____ . Vous désirez ?
- ● Je _____ un pantalon.
- ○ De quelle couleur ?
- ● Blanc.
- ○ Quelle taille vous faites ?
- ● Trente-six.
- ○ Voilà, j'ai deux pantalons. Un totalement blanc et l'autre avec un peu de bleu. Ça vous va ?
- ● Oui. Je peux _____ ?
- ○ Bien sûr. Vous pouvez aller dans cette cabine.

- ○ Ils vous vont bien ?
- ● Oui, mais je préfère le pantalon avec un peu de bleu, _____ ?
- ○ 34,99€.
- ● Et l'autre ?
- ○ 29,45€.
- ● Bon, je prends celui avec du bleu. Je peux _____ carte de crédit ?
- ○ Oui, bien sûr.

- ○ Vous signez là.
- ● D'accord. Merci.
- ○ De rien. _____ .
- ● _____ .

> **POUR INDIQUER UN PRIX AVEC DES CENTIMES**
> *Cette chemise, elle fait trente-deux euros et quatre-vingt quinze centimes (32,95€).*
> ou :
> *Cette chemise, elle fait trente-deux euros quatre-vingt quinze (32,95€).*

7 Les adjectifs démonstratifs

A. Complète avec **ce, cet, cette, ces**.

Monsieur Dubois va chez le marchand de fruits et légumes et choisit ce qu'il veut acheter.
« Bonjour Monsieur, je voudrais ⬚cette⬚ salade, 1kg de ⬚ces⬚ tomates, ⬚cet⬚ ananas et ⬚⬚ pamplemousse. Ah ! oui, rajoutez-moi s'il vous plaît 500g de ⬚⬚ champignons. »

Pendant ce temps, Madame Dubois est dans une boutique. Elle montre à la vendeuse ce qu'elle voudrait essayer :
« Alors, pourriez-vous me donner ⬚⬚ pantalon, ⬚⬚ chemisier, ⬚⬚ chaussures et puis aussi ⬚⬚ anorak, s'il vous plaît ? »

B. Tu décides de faire une salade pour tes amis, que demandes-tu au marchand ?

Je voudrais ces carottes…

C. Puis tu vas dans une boutique choisir un cadeau d'anniversaire pour un(e) ami(e) :

Je pourrais, s'il vous plaît, voir cette montre, …

> ➤ On utilise toujours **de** ou **d'**
> avec :
> *beaucoup de /d'*
> *peu de /d'*
> *trop de /d'*
> *assez de /d'*
> *pas assez de /d'*

8 La quantité

Regarde les habits de Julie pour l'été. Dis si elle a assez de vêtements.

2 maillots de bain

5 paires de lunettes de soleil

1 paire de chaussures

2 robes d'été

4 pulls

5 jupes

1 chapeau

8 tee-shirts

Elle a *peu de* robes.
Elle a ⬚⬚ maillots de bain.
Elle a ⬚⬚ chapeaux.
Elle a ⬚⬚ tee-shirts.
Elle a ⬚⬚ paires de lunettes de soleil.
Elle a ⬚⬚ jupes.
Elle a ⬚⬚ chaussures.
Elle a ⬚⬚ pulls.

9 Verbes au présent

Complète ce questionnaire avec les verbes de cette liste sans oublier de les conjuguer.

acheter   expliquer   payer   retourner
essayer   lire   préférer

Comment faites-vous

LES COURSES ?

Répondez à ce questionnaire et vous découvrirez quel consommateur vous êtes.

❶ Pour faire vos courses, vous *achetez* dans un supermarché ou dans les petits commerces ?

  a) J' _____ dans un supermarché.
  b) J' _____ dans les petits commerces.

❷ Vous _____ toujours de trouver les meilleurs prix quand vous faites vos courses ?
  a) Oui, j' _____ de trouver les meilleurs prix.
  b) Non, je prends les prix que je trouve.

❸ Vous _____ les étiquettes des produits que vous achetez ?
  a) Oui, je les _____ .
  b) Non, je ne les _____ pas.

❹ Pour transporter vos courses, vous _____ utiliser des sacs en plastique ou des sacs écologiques en papier ?
  a) Je _____ utiliser des sacs en plastique.
  b) Je _____ utiliser des sacs en papier.

❺ Comment _____-vous vos courses ?
  a) Je les _____ par carte bancaire.
  b) Je les _____ en liquide.

❻ Vous avez un problème avec un achat :
  a) Vous _____ au magasin et _____ le problème.
  b) Vous ne _____ pas au magasin et n'utilisez pas votre achat.

10 Le conditionnel de politesse

Reformule les demandes suivantes de manière plus polie.

Dans un magasin de vêtements (*à la vendeuse*) :

Je veux un tee-shirt à manches longues.

Je voudrais...

Vous pouvez me dire combien ça coûte ?

....

Vous avez une jupe de la même couleur que le tee-shirt ?

....

Je veux essayer cette ceinture.

....

Vous pouvez me faire un paquet cadeau ?

....

(à son amie) :

Tu peux tenir mon sac ?

....

Tu peux me rendre mon sac et porter le paquet ?

....

11 Moi aussi / moi non plus – Moi si / moi non

A. Marie et Steph' parlent de leurs goûts. Complète le dialogue.

- ● J'aime beaucoup le rock. Et toi ?
- ○ Moi non, je préfère la musique pop. Est-ce que tu aimes le hip hop aussi ?
- ● Non, pas du tout. Et toi ?
- ○ _____ , j'adore Sexion d'Assault. J'ai tous leurs Cds. Et tu aimes aller aux concerts ?
- ● Non, je déteste les concerts : la musique est trop forte, tu dois arriver des heures en avance et, en plus, t'es debout toute la soirée... Et toi ?
- ○ _____ , j'achète des billets dès que je peux ! J'adore !
- ● Et tu aimes lire ?
- ○ Pas beaucoup. Et toi ?
- ● _____ . Je préfère le sport !
- ○ _____ , j'adore le skate et le VTT. Mais pas les sports d'équipe ! Quelle horreur !
- ● _____ , je joue trois fois par semaine au basket en club. C'est super !

B. À deux, posez-vous des questions sur vos goûts.

● *Moi, j'aime bien le foot, et toi ?*
○ *Moi aussi, et j'adore...*

Les prépositions de lieu

À + ARTICLE DÉFINI
À la librairie, il y a un excellent manga.

Dans + ARTICLE INDÉFINI
J'achète mon pain dans une boulangerie du coin.

Chez + ARTICLE + PROFESSION
Je suis allé hier chez le docteur.

Chez + PERSONNE
Pour étudier, je vais chez Claire.

Les adjectifs démonstratifs

- **Masculin singulier**

  Ce pantalon me va bien.
  Cet ordinateur est performant. (devant un nom masculin qui commence par une voyelle ou un h muet)

- **Féminin singulier**

  Cette robe est trop longue.

- **Masculin pluriel / Féminin pluriel**

  Ces pulls sont très chers.
  Ces chaussures sont très originales.

Les quantités

Pour exprimer des quantités non précises :

- **Pour une grande quantité :** *beaucoup de / d'*

  Paul a beaucoup de chats chez lui.

- **Pour une petite quantité :** *peu de / d'*

  Marie a peu de chats chez elle.

- **Pour une quantité suffisante ou insuffisante :**
  assez de / d', pas assez de / d'

  Amandine a assez de vêtements.
  Marie n'a pas assez de vêtements.

- **Pour une quantité excessive :** *trop de / d'*

  Claire a trop de paires de chaussure.

Le présent de l'indicatif

▸ **Verbes à deux bases**

	ACHETER
j'	**achèt**e
tu	**achèt**es
il/elle/on	**achèt**e
nous	achetons
vous	achetez
ils/elles	**achèt**ent

	PRÉFÉRER
je	**préfèr**e
tu	**préfèr**es
il/elle/on	**préfèr**e
nous	préférons
vous	préférez
ils/elles	**préfèr**ent

	PAYER*
je	**pai**e
tu	**pai**es
il/elle/on	**pai**e
nous	payons
vous	payez
ils/elles	**pai**ent

(*Aussi : ESSAYER)

	ÉCRIRE		LIRE
j'	écris	je	lis
tu	écris	tu	lis
il/elle/on	écrit	il/elle/on	lit
nous	**écriv**ons	nous	**lis**ons
vous	**écriv**ez	vous	**lis**ez
ils/elles	écrivent	ils/elles	**lis**ent

Moi si, moi non / Moi aussi, moi non plus

- **Après une phrase positive**

  D'accord : **Moi aussi**
  - *J'aime bien le foot.*
  - *Moi aussi, j'adore !*

  Pas d'accord : **Moi non**
  - *J'adore la natation.*
  - *Moi non, j'ai peur de l'eau.*

- **Après une phrase négative**

  D'accord : **Moi non plus**
  - *Je n'aime pas les longues marches.*
  - *Moi non plus, je préfère les petites excursions.*

  Pas d'accord : **Moi si**
  - *Je n'aime pas les vacances à l'étranger.*
  - *Moi si. C'est passionnant !*

12 Pour bien faire la différence entre singulier et pluriel

Piste 19

A. Entoure la forme que tu entends.

Singulier	Pluriel
1 l'enfant	les enfants
2 l'enfant	les enfants
3 la lecture	les lectures
4 la lecture	les lectures
5 le film	les films
6 le film	les films

Dans les cas 1 et 2, on fait la distinction entre le singulier et le pluriel (2 réponses):
- ☐ parce qu'au singulier, on entend la consonne finale **t** dans *enfant*.
- ☐ parce qu'au pluriel, on entend la consonne finale **s** dans *enfants*.
- ☐ parce qu'au singulier, on apostrophe l'article (**l'**) devant la voyelle d'*enfant*.
- ☐ parce qu'au pluriel, on fait la liaison entre l'article (**les**) et le nom quand il commence par une voyelle (*enfants*).

Dans les cas 3 et 4, on fait la distinction entre le singulier et le pluriel :
- ☐ parce que, si le nom est féminin, la différence de prononciation entre l'article déterminé singulier **la** et l'article déterminé pluriel **les** est très claire.
- ☐ parce que la prononciation du mot *lecture* est différente.
- ☐ parce qu'au pluriel, on entend le **s** final de *lectures*.

Dans les cas 5 et 6, on fait la distinction entre le singulier et le pluriel :
- ☐ parce que la prononciation de *film* est différente de celle de *films*.
- ☐ parce que la prononciation de l'article déterminé singulier **le** est différente de celle de l'article déterminé pluriel **les**.
- ☐ parce qu'au pluriel, on entend le **s** final de **les**.

Conclusion

En français, en règle générale, on distingue les formes singulières des noms des formes plurielles :
- ☐ parce que leur prononciation est clairement différente.
- ☐ parce que l'article qui les précède est différent.

> Attention ! Le **s** final qui marque le pluriel orthographique d'un nom ne se prononce jamais !

la fête
les fêtes
la fête...

Piste 20

B. Écoute et entoure le mot entendu.

Singulier	Pluriel
1 le chat	les chats
2 la fille de Josiane	les filles de Josiane
3 l'appartement	les appartements
4 le touriste	les touristes
5 la fête	les fêtes
6 le dentiste	les dentistes
7 la charcutière	les charcutières
8 la chaussure	les chaussures

Piste 21

C. Dis si la phrase entendue est au singulier ou au pluriel.

	1	2	3	4	5
Singulier	☐	☐	☐	☐	☐
Pluriel	☐	☐	☐	☐	☐
On ne sait pas	☐	☐	☐	☐	☐

L'ASSOCIATION DIALOGUE-IMAGE

Dans cette épreuve, vous allez associer des extraits de dialogues à des images.

● Exemple

Vous allez entendre plusieurs petits dialogues correspondant à des situations différentes. Vous aurez 15 secondes de pause après chaque dialogue, puis vous entendrez à nouveau les dialogues et pourrez compléter vos réponses. Regardez d'abord les images.

Pistes
22-23

Situation 1

Transcription :

● *Ce tableau est très joli.*
○ *Moi, je ne l'aime pas du tout.*

Situation 2

Transcription :

● *Qu'est-ce que tu fais comme sport ?*
○ *J'aime nager, faire du VTT...*

Exemple : Image A

Situation n° 0

Image B

Situation n° 2

Image C

Situation n° 1

Les réponses sont :

1 **C** parce qu'on entend le mot « tableau » et on observe une personne avec une attitude positive devant ce tableau. Elle dit « joli ». Une autre personne dit « je n'aime pas » avec une attitude négative.

2 **B** parce qu'on parle de « sport » et de « VTT » et qu'on voit une scène d'une personne en VTT.

🖋 Les images sont en rapport direct avec les dialogues. Elles doivent vous aider à situer la scène.

🖋 La compréhension de la langue est importante, bien sûr ! Mais on ne vous demande pas de tout comprendre. Il y a des mots-clés et l'ambiance doit aussi vous aider.

🖋 Attention, durant l'examen, il y a 6 images (A, B, C, D, E, F) : la première correspond toujours au dialogue-exemple ; parmi les 5 autres images, une ne correspond à aucun dialogue.

• Exercice 1

Vous allez entendre plusieurs petits dialogues correspondant à des situations différentes. Vous aurez 15 secondes de pause après chaque dialogue, puis vous entendrez à nouveau les dialogues et pourrez compléter vos réponses. Regardez d'abord les images.

Associez chaque situation à une image.

Attention : il y a 5 images (B, C, D, E, F), mais seulement 4 dialogues.

Exemple : Image A

Situation n° 0

Image B

Situation n° ....

Image C

Situation n° ....

Image D

Situation n° ....

Image E

Situation n° ....

Image F

Situation n° ....

• Exercice 2

Vous allez entendre 2 fois un document. Vous aurez 30 secondes de pause entre les 2 écoutes, puis 30 secondes pour vérifier vos réponses. Lisez d'abord les questions.

Vous êtes dans un grand magasin :

1. Le message :

☐ annonce une promotion.
☐ informe de la fermeture des portes.
☐ appelle un client.

2. Quelle est l'heure annoncée ? ....

LA PETITE ANNONCE

Dans cet exercice, vous allez trouver quatre petites annonces sur un même thème et vous devez répondre à deux questions. La première porte généralement sur la compréhension globale et la seconde sur un élément de détail clairement identifiable dans le texte. Les questions peuvent porter sur une ou plusieurs des quatre annonces proposées.

● Exemple

C'est l'anniversaire d'un ami qui adore le tennis. Vous décidez de lui offrir une raquette. Vous trouvez les quatre annonces suivantes :

Vends superbe sac pour raquette. Très bon état.
Prix : 12,50€
Téléphone : 01 89 41 59 16

À vendre magnifique raquette. Jamais utilisée.
Taille manche : 41/8. Vendue avec sa housse. Prix : 60€
Téléphone : 01 48 97 64 82

Vous adorez le tennis. Vous rêvez d'être le prochain n°1 à l'ATP. Je vous vends à un excellent prix un très beau T-shirt officiel Rolland-Garros. Taille : L Prix : 9,99€.
Appelez-moi au 06 28 61 94 67

Je vends cette superbe raquette squash semi-professionnelle. Comme neuve. Prix : 35€
Téléphone : 01 94 37 81 78

1. Quel numéro de téléphone appelez-vous ?

01 48 97 64 82

➤ Parce que c'est le seul numéro qui correspond à une annonce de raquette de tennis. Les autres annonces proposent d'autres produits (sac, T-shirt, raquette squash).

2. Prix de la raquette :

60 €

➤ La deuxième question est généralement très simple. Vous répondrez sans problème si vous avez correctement répondu à la première.

🖊 Lisez correctement l'instruction. C'est à partir de la situation proposée que vous pourrez répondre aux questions.

🖊 Les annonces contiennent des informations très proches : « raquette », « raquette squash », « sac pour raquette ». Ne vous précipitez pas, car la rédaction entre instruction et annonce est presque identique (« un ami qui adore le tennis »/« vous adorez le tennis ») et vous risquez de vous tromper.

• **Exercice 1**

Vous venez de recevoir ce carton d'invitation.
Répondez aux questions suivantes.

1. Qui envoie cette carte ?

....

2. Cette carte est...

☐ un message personnel.
☐ un message administratif.
☐ un message commercial.

3. Que trouve-t-on dans cette boutique ?

Inauguration
Choushoes
le spécialiste des
grandes marques
de chaussures

Nous avons le plaisir de vous
informer de l'ouverture d'une
nouvelle boutique dans votre quartier.

Pour vous faire découvrir nos collections
et notre équipe, nous vous invitons le
mardi 21 mars à partir de 18h à partager
un verre de bienvenue. N'hésitez pas à
venir accompagné !

Choushoes, 34 rue du Moulin 79000
Niort www.choushoes@emdl.fr

 ☐ a

 ☐ b

 ☐ c

4. Cette carte...

☐ invite le destinataire à une réception.
☐ informe le destinataire des nouveaux tarifs du magasin.
☐ accompagne le catalogue du magasin.

• **Exercice 2**

Vous recherchez un VTT d'occasion pour vos prochaines vacances d'été à la montagne. Vous avez un budget de 300 euros.

Annonce 1

À vendre VTC très bon état. Couleur bleue.
Parfait pour la route de campagne. Prix :
200 euros. manon@emdl.fr

Annonce 2

Vends VTT suspension avant et arrière,
freins à disques. Excellents résultats en
montagne. Disponible immédiatement.
Prix : 300 euros. pol@emdl.fr

Annonce 3

À vendre : VTT suspension avant et arrière
et freins à disques excellent état. Parfait en
montagne. Disponible à partir du
15 septembre. Prix : 300 euros.
Contact : mijo@emdl.fr

Annonce 4

Vends VTT. Suspensions à refaire
totalement. Freins à disque bon état.
Prix : 250 euros. Tél : 06 01 21 23 24

1. Quelle annonce sélectionnez-vous ?

....

2. Quel prix allez-vous payer ?

....

L'ASSOCIATION IMAGE-LÉGENDE

Dans cet exercice, vous allez écrire la légende des images proposées. Cet exercice peut remplacer la carte postale. Une légende est un texte écrit qui accompagne une image ou une photo. Ce texte doit être court (entre 7 et 10 mots), simple et clair.

• Exemple

Imaginez la légende de cette image.

Ben promène son chien dans un parc.

Elle correspond aux critères énoncés : elle est courte et claire à la fois. Elle reprend les éléments principaux de l'image : le personnage (Ben) et son chien, le lieu (un parc, un square, un jardin public) et l'action (se promener).

D'autres phrases :

Ben, 18 ans, et son chien Bill se promènent.   ↘ Cette phrase est correcte mais on ne vous demande pas d'entrer dans ces détails. Et vous risquez de commettre plus d'erreurs !

Ben et son chien sont dans le parc.   ↘ Ces phrases sont correctes mais trop imprécises.

ou

Ben et son chien au parc.

✎ Observez l'image, mais ne vous arrêtez pas sur un détail : le texte doit présenter l'image globalement.

• Exercice 1

Pour vous entraîner, voici quatre autres images de Ben et de sa copine, Noémie. Écrivez sous chacune de ces images la légende appropriée.

• Exercice 2

Vous passez quelques jours dans un petit village au bord de la mer chez un ami français. Il n'y a pas de connexion Internet... Alors vous achetez une carte postale et racontez à vos parents ce que vous aimez et ce que vous n'aimez pas dans ce village.

LE DIALOGUE SIMULÉ (L'ÉVALUATION)

> Dans cet exercice, l'évaluation porte sur votre capacité communicative et vos capacités linguistiques.

● **Exemple**

L'évaluation communicative

Cette évaluation représente 70% de la note de cette épreuve. Elle comprend deux aspects :

1. Capacité à demander ou donner quelque chose à quelqu'un et capacité à comprendre ou donner des instructions simples (elle est notée de 0 à 4).
2. Capacité à établir un contact social élémentaire : formes de politesse simple, de salutation et de remerciement (elle est notée de 0 à 3).

L'évaluation linguistique

Cette évaluation représente 30% de la note de cette épreuve. Elle comprend trois aspects qui comptent chacun pour 10% de la note.

1. Capacité à utiliser un répertoire lexical élémentaire par rapport à des situations concrètes.
2. Capacité à utiliser des structures simples (phrases au présent ou à l'impératif, quelques prépositions).
3. Capacité à prononcer de façon à être compris par l'examinateur, qui peut demander de répéter.

> ✎ Les sujets doivent être concrets et en rapport avec la vie quotidienne (acheter un objet, se renseigner sur un service). Ils doivent être simples (il n'y a pas de problèmes complexes à résoudre).
>
> ✎ Ne vous inquiétez pas si votre prononciation n'est pas parfaite.
>
> ✎ Pour vous entraîner pendant les exercices de dialogue simulé, vous pouvez utiliser cette grille d'auto-évaluation (remplissez-la à l'aide de croix).

Capacités communicatives	0	0,5	1	1,5	2	2,5	3	3,5	4
1. Je peux demander ou donner quelque chose à quelqu'un, comprendre ou donner des instructions simples sur des sujets concrets de la vie quotidienne.									
2. Je peux établir un contact social de base. Je peux utiliser les formes de politesse élémentaires.									
Capacités linguistiques	0	0,5	1	1,5	2	2,5	3	3,5	4
1. Je peux utiliser un répertoire élémentaire de mots et d'expressions isolées relatifs à des situations concrètes.									
2. Je peux utiliser de façon limitée des structures simples.									
3. Je peux prononcer de manière compréhensible un répertoire limité d'expressions mémorisées.									

Note finale :

• Entretien dirigé

Posez des questions à une(e) camarade sur ses goûts.

Qu'est-ce que vous aimez manger ?
Est-ce qu'il y a un plat que vous détestez ?
Qu'est-ce que vous aimez faire dans votre ville ?
Est-ce qu'il y a des endroits de votre ville que vous aimez plus particulièrement ?
Est-ce qu'il y a des endroits de votre ville que vous n'aimez pas du tout ?
Quand vous êtes tranquille chez vous, qu'est-ce que vous aimez faire ?
Est-ce qu'il y a une chose que vous détestez faire ?

• Échange d'informations

À partir des mots ci-dessous, posez des questions à votre camarade de classe, puis répondez à votre tour à ses questions. Ces mots sont purement indicatifs. Vous pouvez compléter vos questions à partir des réponses obtenues.

Sortir le soir ?	Sport ?	Collectionner ?
Un animal de compagnie ?	Couleur préférée ?	Vêtements ?
Opéra ?	Manger ?	Lire ?
Internet ?	Télévision ?	Dormir ?

• Dialogue simulé

Vous voulez acheter un casque pour votre téléphone. Vous allez dans un magasin. Simulez le dialogue.

Mes habitudes

4

Dans cette unité, nous allons parler de nos habitudes quotidiennes et de nos habitudes alimentaires

Tout pour...
- indiquer l'heure ou la date (le calendrier)
- indiquer la fréquence d'une activité
- parler des préférences alimentaires (plats et boissons)
- commander dans un restaurant

Tout pour bien utiliser...
- les prépositions *à* et *en* avec les moyens de transports
- les verbes pronominaux
- l'expression de la quantité (déterminée / indéterminée)

Entraînement au DELF scolaire et junior A1
- le dialogue en situation (CO)
- l'extrait de presse (CE)
- la carte postale (PE)
- l'entretien dirigé (PO)

Noël se fête en...

1 Dates et saisons

A. Associe les fêtes aux dates.

La fête du travail	2 février
Noël	1er mai
Le jour de l'an	25 décembre
La fête nationale	1er janvier
La Toussaint	14 juillet
La Chandeleur	1er novembre

B. Dis en quelle saison elles se fêtent.

C. Et dans ton pays, quelles sont les fêtes les plus importantes ?

2 Heures

A. Marc est un garçon très organisé. Regarde le programme de sa journée et réponds aux questions.

1	Marc se lève à 6h45.	8	Il prend le bus et arrive chez lui 20 minutes après.
2	Il prend son petit-déjeuner.	9	Il goûte, joue un peu au foot avec son frère (40 min).
3	Il prend le bus 45 minutes plus tard.	10	Il fait ses devoirs.
4	Il arrive au collège 20 minutes plus tard.	11	Il prend son repas avec ses parents et son frère une heure et demie après.
5	Les cours commencent à 8h.	12	Il regarde un peu la télé ou fait des jeux vidéos avec son frère.
6	Il a 4 heures de cours et puis mange à la cantine.	13	Il va se coucher vers 21h30.
7	Les cours recommencent à 14h et finissent à 17h.		

• À quelle heure prend-il le bus ?
  Il prend le bus à 7h30.

• À quelle heure arrive-t-il au collège ?
  ....

• À quelle heure mange-t-il à la cantine ?
  ....

• À quelle heure arrive-t-il chez lui après les cours ?
  ....

• À quelle heure fait-il ses devoirs ?
  ....

• À quelle heure prend-il son repas ?
  ....

B. De temps en temps, Marc ne respecte pas ses horaires. Regarde les heures de ses activités et dis s'il est en avance ou en retard par rapport à d'habitude.

Aujourd'hui Marc se lève à 6h30. *Il est en avance.*
Il arrive en cours à 8h10. ....
Il prend le bus à 17h20. ....
Il arrive à la maison à 18h. ....
Il joue avec son frère à 19h. ....
Il se couche à 20h30. ....

● *Moi, je me lève à 8h. Et toi ?*
○ *Moi, je me lève à 8h15 et, après, je m'habille.*

3 Jours et activités

En dehors du collège, quelles activités fais-tu chaque jour ?

Le lundi, je vais à la piscine, le...

● *Qu'est-ce que tu fais le lundi ?*
○ *Je fais du basket, et toi ?*
● *Moi, je...*

4 Fréquence

Dis quelles sont tes habitudes.

Manges-tu souvent du chocolat ? *Oui, tous les jours.*
Fais-tu souvent du sport ?
Vas-tu souvent faire du shopping ?
Sors-tu souvent le soir ?
Vas-tu souvent manger une pizza avec tes copains ?
Vas-tu souvent faire du ski ?
Vas-tu souvent au cinéma ?

> **LA FRÉQUENCE**
> * *Est-ce que tu vas souvent au cinéma ?*
> o *Oui, souvent. / Non, jamais. / Oui, une fois par mois.*
>
> * *Tu regardes la télévision pendant les repas en famille ?*
> o *Oui, toujours. / Oui, de temps en temps.*
>
> **Tous les jours** = lundi, mardi, ..., dimanche.
> **Toujours** = en permanence.

5 Les aliments

A. Associe les photos à la liste des aliments.

De la viande	6	Une salade	....
Du beurre	....	Du poisson	....
De la confiture	....	Des légumes	....
Une cuisse de poulet	....	Des fruits	....
Un gâteau	....	Du fromage	....

B. À partir de cette liste d'aliments, dis ce que tu adores, ce que tu aimes, ce que tu n'aimes pas et ce que tu détestes.

J'aime la viande, mais je déteste le poisson...

* *Tu aimes les légumes ?*
o *Oui, j'aime bien les légumes. Et toi ?*
o *Moi, je déteste les légumes, mais j'aime...*

SUR LA TABLE

une assiette
une fourchette
un couteau
une cuillère
un verre
une carafe
un plat
une serviette

6 Les habitudes alimentaires

A. Quelles sont les habitudes des Français ? Regarde les quatre tableaux et dis quel tableau correspond à ton âge. Est-ce que tu te reconnais dans ce tableau ? Pourquoi ?

Les Français à table...

Les Français ne consomment pas assez de	Les Français consomment trop de	Les ados consomment des	Les Seniors consomment des
féculents	produits gras	produits préparés	fruits
fruits	produits sucrés	fast-food	légumes
légumes	produits salés	produits laitiers	poissons
légumes secs	sodas	boissons sucrées	viandes blanches
eau par jour	alcool	sucreries	pâtisseries

B. Qu'est-ce que tu préfères manger...

- comme plat ?
- comme légumes ?

- comme dessert ?
- pour le goûter ?

7 Les boissons

Qu'est-ce que tu bois ?

- Quand il fait chaud, *je bois du soda ou...*
- Quand il fait froid, ...
- Au petit-déjeuner, ...
- À la récréation, ...
- À la cantine, ...
- Pour le goûter, ...
- Après une activité sportive, ...

• *Qu'est-ce que tu bois quand il fait chaud ?*
○ *Moi, du soda. Et toi, qu'est-ce que tu bois quand il fait chaud ?*

8 Les plats

Voici quelques plats très appréciés en France. Choisis parmi les ingrédients de la liste, ceux qui composent ces trois plats :

semoule	saucisses	vin blanc	légumes	fromage
boulettes	pain	pois chiche	pommes de terre	
harissa	chou blanc	jambon		

Dans la fondue, je pense qu'il y a du fromage...

COUSCOUS

FONDUE SAVOYARDE

CHOUCROUTE

9 Au restaurant

A. Lis ces fragments de dialogues. Indique qui parle :
le serveur (S) ou le client (C) ?

○ Messieurs dames bonjour, qu'est-ce que je vous sers ?
● Bonjour, nous pourrions avoir trois jus de fruits, s'il vous plaît ?

● C'est combien ?
○ Neuf euros s'il vous plaît.

○ Vous avez fait votre choix ?
● Alors comme entrée trois salades tomates-mozzarella...

○ Et comme plat principal ?
● Trois poulets s'il vous plaît.

● Et qu'est-ce qu'il y a avec le poulet ?
○ Des frites ou du riz ou des petits légumes.

● Excusez-moi vous pourriez nous apporter du pain s'il vous plaît ?
○ Tout de suite !
● Merci.

● Excusez-moi est-ce que vous pourriez nous apporter l'addition, s'il vous plaît ?
○ Oui, bien sûr.

● Pardon qu'est-ce qu'il y a dans le dessert gourmand ?
○ Il y a une boule de glace avec une portion de tarte aux pommes, une mousse au chocolat et des fraises Tagada.

● Excusez-moi, est-ce que vous avez du melon ?
○ Désolé ! Mais nous n'avons pas de melon en cette saison.

LES PARTIES DU REPAS

➤ **Entrées**
En premier, on mange des entrées. Elles sont légères et peuvent être chaudes ou froides.
Entrées froides :
un cocktail de crevettes, une coquille de poisson, du pâté, du foie gras, une salade niçoise, etc.
Entrées chaudes :
une quiche, une omelette aux champignons, une soupe à l'oignon, etc.

➤ **Plat principal**
Il est composé normalement d'une viande ou d'un poisson, et il est accompagné d'une garniture (légumes ou riz).
Un canard à l'orange, un pot-au-feu, un bœuf bourguignon, un lapin à la ratatouille, une truite aux amandes, du hachis Parmentier, etc.

➤ **Fromages**
Comme la France est le pays aux 365 fromages, il est rare d'avoir un bon repas sans fromage.
Le camembert, le roquefort, le brie, le comté, le chèvre, etc.

➤ **Dessert**
Il marque la fin du repas avant de prendre un café ou une infusion. On peut prendre un fruit, un yaourt ou un dessert plus élaboré.
Une tarte au citron, une charlotte aux fraises, une mousse au chocolat, une crêpe au citron, une salade de fruits frais, etc.

B. Recompose le dialogue.

☐ Voici le menu.
☐ Et comme plat principal ?
☐ Qu'est-ce que je vous sers à boire ?
☐ Vous allez prendre un dessert ?
☐ Qu'est-ce qu'il y a au menu ?
☐ Une eau minérale.
☐ Comme entrée, je voudrais une salade composée.
☐ Bonjour, qu'est-ce que je vous sers ?
☐ Une glace à la fraise, s'il vous plaît.
☐ Comme plat principal, je prendrais une fondue bourguignonne.

● *Bonjour, qu'est-ce que je vous sers ?*
○ *Qu'est-ce qu'il y a....*

10 Les moyens de transport

Complète.

Dans ma ville, les enfants vont à l'école en ....
Dans ma ville, les adultes vont au travail en ....

11 Une journée habituelle

Gabriele Rossini va partir en France avec sa classe. Il va être hébergé dans une famille d'accueil et son correspondant lui envoie un courriel pour présenter sa famille. Complète le texte avec les verbes suivants et conjugue-les.

> manger   avoir   aimer   cuisiner   se lever   commencer
> pouvoir   être   faire   quitter   s'appeler

| Envoyer | Joindre | Imprimer | Listes |

À : gabros@italia.com
Cc :
Objet : Emploi du temps

Bonjour Gabriele,

Je .... Julien, j'ai 13 ans et ma sœur s'appelle Chloé, elle .... 15 ans.

Mes parents s'appellent Jean et Nathalie et ils .... profs tous les deux ! Pendant l'année scolaire toute la famille .... à 6h45 car tout le monde .... la maison vers 7h30. Ma sœur et moi, nous .... les cours à 8h et mes parents aussi. Nous ne sommes pas dans le même collège ! Ouf !

À midi, nous .... à la cantine et mes parents à la maison.

Le soir, après les cours, nous .... aller jouer au foot ou au basket avec les copains, mais ma sœur rentre à la maison et .... ses devoirs.

Ma mère .... très bien, mais mon père fait les courses : il .... bien sortir avec notre chien Pilou le soir, après le dîner...

On t'attend avec impatience !

A +

Julien

12 Activités quotidiennes

Igor raconte sa journée. Complète les espaces libres par les verbes conjugués de ton choix.

Le matin je *me réveille* à 7h et je ne me .... pas immédiatement. J'attends 5 minutes. Je me .... rapidement et je .... un jus d'orange. Je ne mange pas. Je .... tranquillement à pied au collège pour les cours de 8h. À midi, je .... à la cantine.
Le soir, trois fois par semaine, je m'............... au basket. En revenant à la maison, j'............... très faim ! Je mange vite et puis je .... faire mes devoirs. Je me .... tard, vers 23h. Mais le week-end, je .... dormir, sauf quand j'ai des matchs de basket !!

● *Moi, je me réveille à 7h30, et toi ?*
○ *Moi, à 8h.*

13 Les heures

A. Pose des questions pour savoir…

…s'il y a une émission (jeu, film, etc.) à la télévision.
…l'heure du début d'une émission.
…la durée d'une émission.
…l'heure de fin d'une émission.

B. Regarde les grilles horaires ci-dessous et réponds aux questions suivantes :

1. Y-a-t-il un film à la télé ce soir ? Sur quelle chaîne ?
2. À quelle heure commence la série ?
3. Combien de temps dure le journal télévisé sur France 2 ?
4. À quelle heure finit le jeu ?

Programme du 6 juillet

France 2	
20h00	**journal**
20h30	**tirage du loto**
20h35	**Petites vacances à Knokke-le-Zoute** (téléfilm) – 85 min

MTV	
19h45	**The city** *Whitney Port est sur le point de réaliser son rêve…*
20h00	**The city**
20h35	**Rencard d'enfer** *Sans le savoir, une personne se fait piéger en plein rendez-vous galant par son meilleur ami…*
21h05	**Deux jours pour plaire** *Une jeune fille invite son petit ami du moment, ainsi qu'un deuxième prétendant, à passer le week-end chez elle…*

M6	
19h45	**Le 19.45**
20h05	**Soda** (série)
20h45	**Pékin express, la route des grands fauves** (jeu) – 165 min

Il y a un film d'aventures
un journal télévisé (JT)
un feuilleton
une série
une émission littéraire
une émission musicale
la météo
un jeu télévisé
un reportage

C. Imagine d'autres questions et pose-les à un camarade.

C'est quand le tirage du loto ?

14 Les quantités

A. Tu invites des amis à dîner et tu prépares une quiche aux poireaux, une spécialité de l'est de la France. Lis la recette et complète le tableau.

INSTRUCTIONS POUR UNE RECETTE

Avec **DEVOIR** ou l'**impératif**
Vous devez couper ou *coupez*
Vous devez mettre ou *mettez*
Vous devez mélanger ou *mélangez*
Vous devez séparer ou *séparez*
Vous devez ajouter ou *ajoutez*
Vous devez saler ou *salez*
Vous devez battre ou *battez*
Vous devez cuire ou *cuisez*

Quiche aux poireaux

1. *Prendre un kilo de poireaux. Découper finement les poireaux et faire cuire 10 à 15 minutes dans une poêle.*
2. *Faire la pâte avec de la farine (250 grammes), de l'eau (100 ml), de l'huile (100 ml) et du sel. Mettre la pâte dans un moule.*
3. *Mettre sur la pâte des lardons (200 grammes) mais pas de jambon : le jambon ne donne pas un goût aussi fort que les lardons.*
4. *Après, ajouter les poireaux. Vous pouvez ajouter de l'oignon (un demi). Battre trois œufs avec de la crème fraîche (300 ml), saler, poivrer et mettre le tout sur les poireaux.*
5. *Recouvrir de 100 g de gruyère râpé.*
6. *Mettre le plat au four à 180° pendant 20 à 25 minutes.*

NOMBRE DE PERSONNES : 4

TEMPS DE CUISSON : 20-25 MIN

TEMPS DE PRÉPARATION : 20 MIN

	QUANTITÉ DÉTERMINÉE	QUANTITÉ INDÉTERMINÉE	
		Devant une consonne	Devant une voyelle ou un h
MASCULIN		*du sel*	
FÉMININ			*de l'huile*
PLURIEL	*les poireaux*		

B. Fais la liste des aliments que tu dois acheter pour préparer la quiche aux poireaux.

Pour préparer la quiche aux poireaux, je dois acheter des poireaux...

15 Articles

Ce texte propose des conseils alimentaires pour garder la forme. Complète-le avec **le**, **la**, **les**, **du**, **de la**, **de l'** ou **des**.

Il faut boire souvent _____ eau, manger tous les jours _____ légumes, prendre _____ fruits deux ou trois fois par jour, manger _____ viande grillée et _____ poisson. Il faut supprimer _____ desserts trop sucrés, comme _____ mousse au chocolat ou _____ yaourt sucré.

Les prépositions de transport

- En général, on utilise la préposition **en** devant un moyen de transport : **en** métro, **en** train, **en** avion, etc.

  *Avec ma famille, je voyage **en** voiture pendant les vacances.*

Indiquer l'heure

- **Pour demander et donner l'heure actuelle**

  Il est quelle heure ? / Quelle heure il est ?

- **Pour demander l'heure d'un événement**

  - ***À quelle heure** est le film ?*
  - *Il est **à** 20h30.*

    ⚠ *Il est midi.* ~~Il est douze heures.~~

    ⚠ *Il est minuit.* ~~Il est zéro heures.~~

    ⚠ 15:00 *Habituellement on ne dit pas **quinze heures** mais **trois heures.***

Indiquer la date

- **Pour indiquer une date précise**

  Mardi 12 juillet 2011.

- **Pour indiquer la date actuelle**

  - *On est quel jour ?*
  - *On est vendredi 3 juin. / On est le 3 juin.*

- **Pour indiquer la date d'un événement**

  - *C'est quand ton anniversaire ?*
  - *C'est le vingt-deux janvier.*

    ⚠ *Pour le premier jour du mois : **Le premier** octobre ou le **1ᵉʳ** octobre.*

- **Pour les mois**

  *Pâques est **en** mars ou **en** avril.*
  *Je prends des vacances **au mois** de juillet.*

Les quantités

- **Les quantités déterminées**

  Pour préciser une quantité, on utilise **de / d'** après la mesure (kilo, gramme, litre, paquet, bouteille, etc.).
  *Il faut trois kilos **d'**oranges pour obtenir un litre **de** jus.*

- **Les quantités indéterminées**

  Pour exprimer une quantité imprécise, on utilise un article partitif :
  *Tous les matins, je bois **du** café au lait.*
  *Je mange **de la** viande au déjeuner.*
  *Je bois **de l'**eau à tous les repas.*

  À la forme négative :
  *Je ne bois pas **de** thé.*
  *Je ne mange pas **de** viande le soir.*
  *Je ne bois pas **de** soda à table.*

Le présent de l'indicatif

- **Les verbes pronominaux**

  Ce sont les verbes qui utilisent un pronom personnel réfléchi. Ce pronom varie en fonction de la personne conjuguée.

		SE LAVER
je	**me**	lave
tu	**te**	laves
il/elle/on	**se**	lave
nous	**nous**	lavons
vous	**vous**	lavez
ils/elles	**se**	lavent

- **Verbes à une base avec modification orthographique**

	MANGER
je	mange
tu	manges
il/elle/on	mange
nous	mang**e**ons
vous	mangez
ils/elles	mangent

- **Verbes à deux bases**

		SE LEVER*
je	me	l**è**ve
tu	te	l**è**ves
il/elle/on	se	l**è**ve
nous	nous	levons
vous	vous	levez
ils/elles	se	l**è**vent

(* aussi : acheter)

	FINIR*
je	finis
tu	finis
il/elle/on	finit
nous	fini**ss**ons
vous	fini**ss**ez
ils/elles	fini**ss**ent

(* aussi : CHOISIR ou MAIGRIR)

	DORMIR
je	**dor**s
tu	**dor**s
il/elle/on	**dor**t
nous	dormons
vous	dormez
ils/elles	dorment

16 Pour prononcer les verbes

Piste
30

A. Écoute les phrases suivantes.

Je déjeune à midi.
Et toi, tu déjeunes à midi ?
Jean déjeune à midi.
Jean et Sylvie déjeunent à midi.

Indique si dans ce verbe (et d'autres verbes en –er) :

☐ la prononciation est identique aux 1ère, 2ème, 3ème personnes du singulier et à la 3ème personne du pluriel.
☐ la prononciation est toujours différente.
☐ la prononciation est identique aux 1ère, 2ème, 3ème personnes du singulier et différente à la 3ème du pluriel.

Piste
31

B. Écoute les phrases suivantes.

Pierre dort beaucoup.
Et toi, tu dors beaucoup ?
Moi ? Oui, je dors beaucoup.
Et mes frères dorment beaucoup.

Indique si dans ce verbe (et d'autres verbes comme DORMIR ou FINIR) :

☐ la prononciation est identique aux 1ère, 2ème, 3ème personnes du singulier et à la 3ème personne du pluriel.
☐ la prononciation est toujours différente.
☐ la prononciation est identique aux 1ère, 2ème, 3ème personnes du singulier et différente à la 3ème du pluriel.

> Dans tous les cas (sauf ÊTRE, AVOIR et ALLER), les trois premières personnes du singulier se prononcent **exactement** de la même façon. C'est pourquoi tu ne dois jamais oublier le sujet ou le pronom sujet (*Pierre* parle ou *il* parle).

Pierre dort
Tu dors
Je dors

Piste
32

C. Écoute et indique pour chaque verbe la dernière lettre prononcée.

Ils se lèvent. .....v....
Ils prennent. ....
Elles habitent. ....
Ils sortent. ....
Ils arrivent. ....
Elles regardent. ....
Ils naviguent. ....

À la 3ème personne du pluriel :

☐ On prononce la forme –ent.
☐ On prononce de temps en temps la forme –ent.
☐ On ne prononce jamais la forme –ent mais la dernière lettre qui la précède.

LE DIALOGUE EN SITUATION

> Dans cet exercice, vous écoutez un dialogue simple et vous devez indiquer où il se passe (**Où est-ce ?**) et ce qu'on demande (**Qu'est-ce qu'on demande ?**).

• Exemple

Écoutez le dialogue et retrouvez les éléments-clés.

Transcription :

● *Bonjour Monsieur. Est-ce que je peux prendre la commande ?*
○ *Bien sûr. Alors comme entrée, je vais prendre des endives à la béchamel.*

 Pour vous aider, soyez attentif :

- **À l'ambiance (bruits particuliers)**
  Le moteur d'une voiture
  Des personnes qui parlent
  Des bruits de plats / verres
  Des oiseaux qui chantent

Où est-ce ?	
Dans un hôtel	
Dans un bar	
Dans un restaurant	X

Qu'est-ce qu'on demande ?	
Une boisson	
Un plat	X
L'addition	

- **À certains mots ou à certaines phrases importantes**
  Une panne
  La commande
  Une table
  En entrée

- **Aux personnes qui parlent**
  Des amis
  Un serveur
  Un agent de police
  Un client

Pour chaque situation, on ne demande qu'une seule chose (**où** ou **quoi**).

N'oubliez surtout pas de lire les questions avant d'écouter les situations.
Vous n'avez pas besoin de tout comprendre !
Si vous ne savez pas ce que sont les endives à la béchamel, ce n'est pas grave !

Faites attention à la forme employée (**Tu / Vous**), qui indique si les personnes se connaissent ou pas.

• Exercice I

Vous allez entendre plusieurs petits dialogues correspondant à des situations différentes. Vous aurez 15 secondes de pause après chaque dialogue, puis vous entendrez à nouveau les dialogues et pourrez compléter vos réponses. Lisez d'abord les questions.

Situation 1

Où est-ce ?	
Dans un café	
Dans un restaurant	
Chez des amis	

Situation 2

Qu'est-ce qu'on demande ?	
L'heure de se lever	
L'heure de se coucher	
L'heure de dîner	

Situation 3

Où est-ce ?	
À l'arrêt de bus	
Dans une gare	
Dans une station de métro	

Situation 4

Qu'est-ce qu'on demande ?	
Un plat du jour	
Comment faire une recette	
Des ingrédients pour une recette	

Piste
38

• **Exercice 2**

Vous allez entendre 2 fois un document. Vous aurez 30 secondes de pause entre les 2 écoutes, puis 30 secondes pour vérifier vos réponses. Lisez d'abord les questions.

Vous prenez votre petit-déjeuner et vous écoutez la radio.

1. Quelle heure est-il ?

☐ 6h00
☐ 7h00
☐ 8h00

2. Quelle est la température à Toulouse ? .... °C

Piste
39

• **Exercice 3**

Vous allez entendre 2 fois un document. Vous aurez 30 secondes de pause entre les 2 écoutes, puis 30 secondes pour vérifier vos réponses. Lisez d'abord les questions.

Répondez aux questions :

1. À qui parle Éric ?

☐ à une fille.
☐ à un garçon.
☐ à quelqu'un qu'il connaît bien.

2. Éric donne rendez-vous :

☐ au café.
☐ au restaurant.
☐ au parking de l'hôtel.

3. À quelle heure est le rendez-vous ?

☐a   ☐b   ☐c

4. Complétez le numéro de téléphone d'Éric :

06 ..... 69 43

● **Exercice 4**

Pistes
40-44

Vous allez entendre plusieurs petits dialogues correspondant à des situations différentes. Vous aurez 15 secondes de pause après chaque dialogue, puis vous entendrez à nouveau les dialogues et pourrez compléter vos réponses. Regardez d'abord les images. Attention ! Il y a 5 images (B, C, D, E, F), mais seulement 4 dialogues.

Exemple : Image A

Situation n° 0

Image B

Situation n° ....

Image C

Situation n° ....

Image D

Situation n° ....

Image E

Situation n° ....

Image F

Situation n° ....

L'EXTRAIT DE PRESSE

Dans cet exercice, vous devez retrouver des informations simples dans un document extrait de la presse (une grille de programme, un tableau, un article court, etc.).

• **Exemple**

LES TEMPS SOCIAUX DES ADOLESCENTS

Le tableau récapitulatif du sondage montre que les filles sont plus centrées sur l'intérieur et les activités individuelles, et que les garçons apparaissent plus ouverts sur l'extérieur.

- « Écouter de la musique » : 80 % pour les garçons contre 90 % pour les filles.
- « Se reposer » : 73 % pour les garçons, 80 % pour les filles.
- « Faire du sport » : 78 % pour les garçons, 70 % pour les filles.
- « Aller au cinéma » : 89 % pour les garçons et 84 % pour les filles.

	GARÇONS en %	FILLES en %
Retrouver les copains et les copines	93	90
Regarder la télévision, jouer à des jeux vidéo	90	90
Aller au cinéma	89	84
Aller en vacances avec les parents	87	87
Écouter de la musique	80	90
Aller se promener	78	87
Se reposer	73	80
Être en récréation	75	77
Lire des BD, romans, magazines	73	77
Faire du sport ou de la musique	78	70
Aller voir la famille	72	76
Rester à la maison	65	65
Aller dans un centre de loisirs	55	59

D'après une enquête menée par la commune de Buxerolles et le quartier des Couronneries de la commune de Poitiers

À partir des informations contenues dans le résultat du sondage sur les activités extra-scolaires, répondez aux questions suivantes :

- Quelle est la catégorie qui est la plus ouverte sur l'extérieur ? Les garçons
- Quel est le pourcentage des filles qui fréquentent un centre de loisirs ? 59 %
- Quel est le pourcentage des garçons qui lisent des BD, des romans, des magazines ? 73 %

✎ Vous ne devez rien inventer : tout est dans le document.

✎ La question ne reprend pas obligatoirement les mots du document, mais des expressions ou mots synonymes : **fréquenter** = *aller* ou **catégorie** = *filles ou garçons*.

• Exercice I

Avant de sortir de chez vous ce matin, vous voulez connaître la météo du jour. Vous consultez Internet.

MATIN 21°C à 9h	AP MIDI 35°C à 15h	SOIRÉE 28°C à 21h	NUIT 18°C à 3h
Ressentie 21°C ENSOLEILLÉ. Sans précipitations.	Ressentie 35°C Beau temps. Sans précipitations.	Ressentie 28°C Beau temps. Sans précipitations.	Ressentie 18°C Ciel voilé. Sans précipitations.

1. Quelle température fait-il ce matin ? ....
2. Quelle température il va faire dans l'après-midi ? ....
3. À quel moment de la journée le temps va être « ensoleillé » ? ....
4. À quel moment de la journée le temps va être « voilé » ? ....

• Exercice 2

Vous venez de lire ce message. Répondez aux questions suivantes.

> Envoyer Joindre Imprimer Listes
>
> Salut les copains !
>
> Le journal de l'école fait une enquête sur les rythmes scolaires des élèves. Si vous voulez participer, écrivez-moi !
>
> Par exemple, moi je me lève cinq jours par semaine à 6h30 parce que je prends le bus à 7h10 pour être au collège à 7h50. J'ai juste le temps de prendre mon petit-déj (un bol de céréales et un jus de fruit), de me doucher et puis hop !
>
> On est beaucoup à faire ça tous les matins... C'est trop dur : racontez-le.
>
> Merci de votre participation.
>
> Bibi

1. Qui a écrit ce message ? ....

2. C'est :

☐ un message de type amical.
☐ un message de type professionnel.

3. Pourquoi cette personne écrit-elle ce message ?

☐ Pour s'informer des habitudes matinales des copains.
☐ Pour raconter aux copains ses habitudes matinales.
☐ Pour participer à une enquête sur les habitudes matinales.

4. Quel petit-déjeuner prend la personne qui écrit le message ?

☐ a ☐ b ☐ c

5. À quelle heure cette personne prend son bus ? ....

■ **Exercice 3**

Vous venez de trouver cette note :

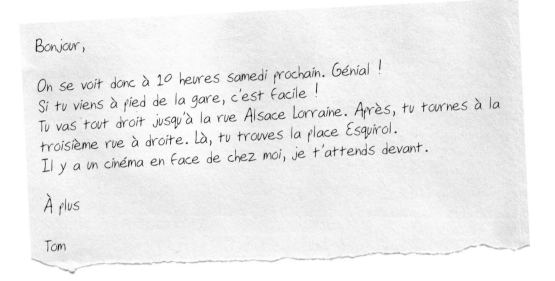

> Bonjour,
>
> On se voit donc à 10 heures samedi prochain. Génial !
> Si tu viens à pied de la gare, c'est facile !
> Tu vas tout droit jusqu'à la rue Alsace Lorraine. Après, tu tournes à la
> troisième rue à droite. Là, tu trouves la place Esquirol.
> Il y a un cinéma en face de chez moi, je t'attends devant.
>
> À plus
>
> Tom

1. Sur ce plan, tracez l'itinéraire à suivre pour arriver au rendez-vous.

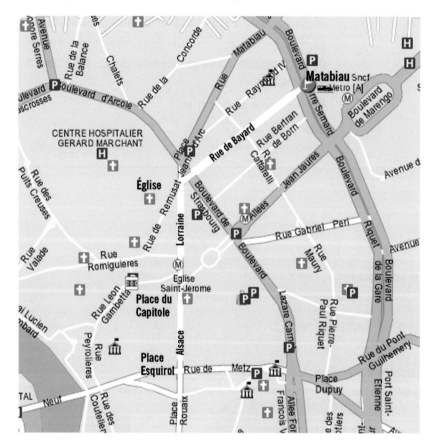

2. Le rendez-vous est à .... h ....

3. Tom retrouve son ami :

☐ chez lui.
☐ dans le cinéma.
☐ dans la rue devant le cinéma.

LA CARTE POSTALE

Dans cet exercice, vous devez écrire une carte postale simple (à votre famille, à un ami). Pour cela, décrivez des actions simples en relation avec une situation de vacances (où vous êtes, le temps qu'il fait, ce que vous faites, ce que vous mangez, la date de votre retour, etc.).

• Exemple

Vous êtes en vacances et vous décrivez ce que vous faites, le temps qu'il fait et l'ambiance (50 mots environ).

Chère Marion,

Je suis en vacances à Athènes avec mes parents et ma sœur.

Il y a beaucoup de choses à voir et à faire. Nous visitons des monuments tous les jours, mais faisons aussi du shopping ! Il fait très chaud, mais on mange très bien et les gens sont très gentils. C'est génial !

Grosses bises

Micha

- Inutile de vouloir donner trop de précisions : vous pouvez avoir des problèmes de vocabulaire !
- Personne ne vérifiera si l'information que vous donnez est correcte !
- Vous parlez de l'ambiance : **c'est sympa** ☺ / **génial** ☺☺ // **ennuyant** ☹ / **nul** ☹☹. Vos phrases sont courtes : une idée = une phrase. Au maximum 2 idées reliées avec **et** ou une opposition simple avec **mais**.
- N'oubliez pas d'introduire votre carte avec une formule de salutation : **Chers tous** (pour toute la famille) ; **Cher** + prénom masculin / **Chère** + prénom féminin // **Salut** + prénom.
- N'oubliez pas la virgule (,) après la salutation : Chers grand-mère et grand-père,
- Pensez à prendre congé (= dire au revoir) avec une formule simple : **Je t' / vous embrasse, Grosses bises** (surtout pour la famille), **À bientôt, Bises, Tchao**.
- Votre texte doit faire environ 50 mots (respectez cette indication +/-10 %).

■ Exercice I

Vous êtes en vacances et vous envoyez une carte postale à votre correspondant(e) français(e). Vous racontez ce que vous faites, vous parlez du temps... (50 mots environ).

L'ENTRETIEN DIRIGÉ

> Dans cet exercice, l'examinateur vous posera des questions très lentement. Vous devez parler de vous-même, de votre famille et de vos goûts. Si vous ne comprenez pas, demandez à l'examinateur de répéter ou de reformuler sa question.

▪ Exemple

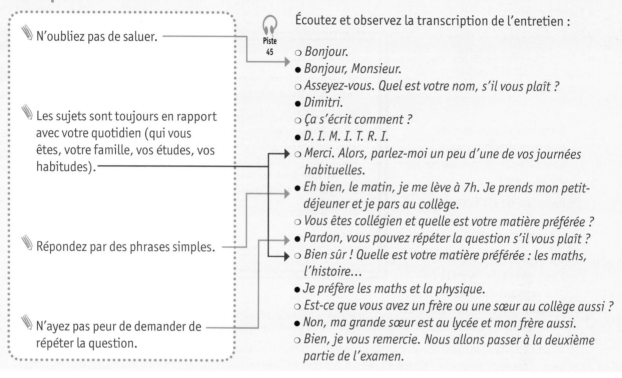

🖎 N'oubliez pas de saluer.

🖎 Les sujets sont toujours en rapport avec votre quotidien (qui vous êtes, votre famille, vos études, vos habitudes).

🖎 Répondez par des phrases simples.

🖎 N'ayez pas peur de demander de répéter la question.

Piste 45

Écoutez et observez la transcription de l'entretien :

○ *Bonjour.*
● *Bonjour, Monsieur.*
○ *Asseyez-vous. Quel est votre nom, s'il vous plaît ?*
● *Dimitri.*
○ *Ça s'écrit comment ?*
● *D. I. M. I. T. R. I.*
○ *Merci. Alors, parlez-moi un peu d'une de vos journées habituelles.*
● *Eh bien, le matin, je me lève à 7h. Je prends mon petit-déjeuner et je pars au collège.*
○ *Vous êtes collégien et quelle est votre matière préférée ?*
● *Pardon, vous pouvez répéter la question s'il vous plaît ?*
○ *Bien sûr ! Quelle est votre matière préférée : les maths, l'histoire...*
● *Je préfère les maths et la physique.*
○ *Est-ce que vous avez un frère ou une sœur au collège aussi ?*
● *Non, ma grande sœur est au lycée et mon frère aussi.*
○ *Bien, je vous remercie. Nous allons passer à la deuxième partie de l'examen.*

▪ Échange d'informations

Voici une série de mots-clés. Vous devez poser des questions à votre voisin de table à partir de ces mots-clés. N'oubliez pas d'organiser cet échange comme un dialogue, comme dans l'entretien dirigé.

Se réveiller ?	Internet ?	Les amis ?
Métro ?	Midi ?	Regarder la télé ?
Café au lait ?	Faire du sport ?	Se coucher ?

▪ Dialogue simulé

Vous êtes dans un restaurant spécialisé en sandwichs. Le serveur vient prendre la commande. Voici la carte :

Formule unique
1 sandwich + 1 dessert + 1 boisson au choix
(10 euros)

Nos sandwichs :
Club – jambon, fromage, tomate, salade –
Paysan – saucisson, cornichons –
Montagnard – jambon cru, cornichons –
Méditerranéen – tomates, thon, œufs, anchois, salade –

Nos desserts :
Crêpe sucre ou chocolat
Glace (2 boules, parfum au choix)
Tarte du jour

Mes vacances

5

Dans cette unité, nous allons parler de nos vacances et de nos lieux de vacances

Tout pour...
- décrire le temps
- parler des vacances
- réserver un billet et une chambre d'hôtel
- faire des appréciations

Tout pour bien utiliser...
- le futur proche
- les prépositions de lieu pour les villes, régions et pays
- le pronom sujet *on*
- la comparaison
- le but, la cause et la conséquence

Entraînement au DELF scolaire et junior A1
- la Compréhension de l'oral (l'évaluation)
- la Compréhension des écrits (l'évaluation)
- la Production écrite (l'évaluation)
- l'Entretien dirigé et l'Échange d'informations (l'évaluation)

1 La météo

Regarde ces images et dis quel temps il fait.

Munich 5° C   Londres 10° C   Athènes 35° C

Rome 21° C   Helsinki 0° C

À Munich, il fait beau parce qu'il y a du soleil, mais il fait assez froid parce qu'il fait 5 degrés.

2 Lieux de vacances

A. Lis ce qu'ils disent sur leurs vacances. Peux-tu deviner où ils vont ?

> Pendant les vacances, je veux sortir de la ville et aller voir des paysages verts. J'aime me promener, m'asseoir près des rivières tranquilles, voir des animaux de ferme.
> Elle va

Mara

> Moi, j'aime la plage, retrouver les copains, jouer au ballon, me baigner et faire du surf.
> Il va *à la mer*

Cédric

> Moi, j'adore la nature, les forêts, les lacs, les rivières pour faire des randonnées, du canyoning et de l'escalade.
> Il va

Tanaïs

Zazie

Klaus

> Je veux partir dans un autre pays, dans une famille d'accueil pour parler les langues que j'apprends au collège. J'adore ça !
> Elle part

> Moi, j'habite dans un petit village, alors j'aime aller dans les grandes villes pour visiter les monuments, voir des expos et faire du shopping !
> Elle va

B. Dis où tu préfères aller en vacances et pourquoi.

En général, je vais à la mer parce que j'aime…

3 Activités de vacances

A. Dis ce qu'il est possible de faire en vacances dans les situations suivantes.

à la montagne, l'hiver
à la montagne, l'été
dans les grandes villes
à la plage, l'été

À la montagne, l'hiver, on peut…

POUR PARLER DE LA MÉTÉO

● *Quel temps il fait ?*
○ *Il y du vent / de la pluie / de la neige / du soleil*
Il pleut. / Il neige.
Il fait chaud. / Il fait froid.
Il fait beau. / Il fait chaud. / Il fait mauvais.
Il fait 25 degrés.

IDÉES POUR PARTIR EN VACANCES

➤ En France, à la mer : *sur* la côte méditerranéenne, *sur* la côte atlantique, *sur* la Manche, *sur* la Mer du Nord.
➤ En France, à la montagne : *dans les* Alpes, *dans les* Pyrénées, *dans le* Massif central.
➤ En France, à la campagne : *en* Normandie, *en* Dordogne, etc.
➤ À l'étranger : *en* Irlande, *en* Thaïlande, *au* Guatemala, *aux* Pays-Bas, etc.
➤ Dans une grande ville : *à* New York, *à* Amsterdam, *à* Barcelone, etc.

B. Imagine que tu es au Club Mer bleue avec tes parents. Lis le programme d'activités et choisis ton programme pour la journée.

CLUB mer bleue

9h-10h : ateliers
Musiques du monde
Nœuds marins

10h30-12h30 : sorties culturelles
Visite de la vieille ville de Narbonne
Visite du Musée de la Marine

14h-15h : conférences
Les poissons de Méditerranée
Les grands navigateurs français
(Diaporama)

14h30-15h30 : ateliers artistiques
Peinture : apprendre à peindre la Méditerranée
Sculpture ou maquettes

14h-19h : sorties sportives
Balade en voilier à Gruissan
Randonnée dans la montagne de la Clape

21h : cinéma
« Le grand bleu »

À partir de 22h :
Soirée chansons françaises sur la plage.

Nous vous rappelons que de 9H00 à 12H30 et de 14H00 à 19H00, nos moniteurs sont sur la plage et proposent des activités (gym tonique, aquagym, beach volley, football) ou des concours toutes les heures.

Moi je vais suivre l'atelier musiques du monde. Après je vais...

• Moi je vais suivre l'atelier nœuds marins. Et toi ?
○ Moi je vais...

4 Appréciations

Dis comment tu peux qualifier ces expériences de vacances.

Se lever à 5h pour partir en randonnée. *Pour moi, c'est horrible...*
La mer à 25°C ....
Une semaine de pluie et de vent ....
Rencontrer des gens d'autres pays ....
Se déplacer à dos d'âne ....
Habiter dans une yourte ....
Visiter un pays exotique ....

• Pour moi, se lever à 5 heures du matin, c'est horrible...

5 Styles de vacances

Lis ces descriptions et dis dans quel type de logement de vacances tu vas aller avec tes parents.

dans un hôtel   chez l'habitant   dans un camping   dans un gîte

Vous voulez aller à la campagne dans un logement loin d'une ville. Ce logement a plusieurs chambres et le service est inclus dans le prix. *Je vais dans un gîte.*

Vous voulez un logement situé à l'intérieur d'une ville ou d'un village. Le service de chambre est inclus dans le prix.

....

Vous ne voulez pas habiter dans une chambre mais dans une tente ou une caravane pour payer moins cher et être en pleine nature.

....

Vous voulez habiter dans la maison de gens qui louent une chambre ou deux au maximum.

....

OBJETS POUR VOYAGER
Les bagages
Une valise
Un sac
Un sac à dos
Un portefeuille
Un porte-monnaie
Une carte d'identité
Un passeport
Une carte
Un plan

LIEUX POUR PRENDRE UN TRANSPORT EN COMMUN
Une gare d'autobus, d'autocars ou de trains
Un aéroport
Une station de métro

6 Partir en vacances

A. Voici les actions que font les gens avant de partir en vacances. Complète les phrases avec les mots suivants.

> programme   date   vêtements   hôtel   billet   amis
> départ   destination   bagages

Choisir la ....
Préparer ses ....
Faire un .... des vacances.
Acheter le .... de train ou d'avion.
Décider de la date du ....
Trouver et réserver un ....
Prévenir les .... qu'on part.
Sélectionner les .... et objets qu'on emporte.
Décider de la .... du retour.

B. Et toi ? Dis ce que tu fais avant de partir en vacances et dans quel ordre.

En premier, je choisis la destination, après...

7 Les objets et les lieux de voyage

Complète les phrases suivantes à l'aide des illustrations.

Il fait *sa valise*.

Il prend [____] et [____]

Il arrive à [____]

Il achète [____] au kiosque à journaux.

Il prend [____]

8 Réservation à la gare

A. Vanessa se renseigne au guichet de la gare sur le trajet Lyon-Nice pour ses prochaines vacances. Complète le dialogue avec les expressions

> Oui, mais attention ! Ce billet n'est ni remboursable ni échangeable.
> Je voudrais connaître les horaires Lyon-Nice s'il vous plaît.
> Très bien, voulez-vous partir le matin ou l'après-midi ?
> Pouvez-vous me dire le prix, s'il vous plaît ?
> Je voudrais partir le vendredi 15 juillet.

- ● Bonjour Madame.
- ○ Bonjour Mademoiselle.
- ●
- ○ Oui, bien sûr, mais à quelle date ?
- ●
- ○
- ● Plutôt le matin.
- ○ Alors il y a un train direct à 8h18 ou un train avec un changement à Marseille à 10h42.
- ● Celui de 8h18 est très bien.
- ○ Vous avez de la chance ! Il reste des billets prem's et le voyage est à 25 euros.
- ● Super ! Je le prends tout de suite !
- ○
- ● Pas de problème, je suis sûre de ma date de départ.

LES TRAINS EN FRANCE
SNCF, TGV, TER, RER...
Les Français adorent les sigles. Mais qu'est-ce qu'ils signifient ?
SNCF : Société Nationale des Chemins de Fer (la compagnie des trains français).
TGV : Train à Grande Vitesse (trains nationaux très rapides).
TER : Train Express Régional (trains rapides dans les régions).
RER : Réseau Express Régional (à Paris, trains de banlieue).

B. Lis les informations suivantes et écris le dialogue.

Paris – Marseille : 11h05 – 15h18 ;
Marseille – Paris : 15h40 – 21h56 ; 120,35 € (aller) / 240,70 € (aller-retour)

Bonjour Monsieur, vous désirez ?

9 Réservation à l'auberge de jeunesse

Vincent, 18 ans, et son frère Jonathan, 15 ans, partent dans le Sud-Ouest voir leurs cousins. Vincent téléphone à l'auberge de jeunesse pour réserver une chambre pour deux.

> Oui, quelle est votre adresse ?   Avec ou sans petit-déjeuner ?
> Oui, c'est à quel nom s'il vous plaît ?   Oui, c'est possible, en chambre ou en dortoir ?
> Bonjour monsieur, j'aimerais réserver deux lits s'il vous plaît.

- ● Auberge de jeunesse les Vignes, bonjour !
- ○
- ● Oui, pouvez-vous me donner vos dates ?
- ○ Du 23 au 30 juillet.
- ●
- ○ En chambre s'il vous plaît : nous sommes deux.
- ●
- ○ Avec.
- ● Donc ce sera 30 euros par nuit et par personne.
- ○ Très bien. Est-ce que je peux faire la réservation tout de suite ?
- ●
- ○ Vincent Dupré
- ● C'est noté, mais pouvez-vous me confirmer votre réservation par courriel ?
- ○
- ● lesvignes@emdl.fr
- ○ Merci au revoir.

10 Le futur proche

Lis et observe ce texte. Dis ce que tu vas faire dans les situations suivantes :

Anna va partir en voyage.

Son père va l'emmener en voiture à la gare. Avant de prendre son train, elle va acheter un magazine, un sandwich, une bouteille d'eau et du chocolat pour manger dans le train. Puis elle va composter son billet, regarder le numéro du quai sur le panneau d'affichage et elle va aller sur le quai pour attendre le train. Enfin, avant de s'asseoir elle va déposer sa valise à l'entrée du wagon.

Avant d'inviter des copains à dîner, *je vais demander à mes parents si c'est possible...*
Pour avoir une vie plus saine, ...

● *Tu vas inviter des copains à dîner ? Qu'est-ce que tu vas faire ?*
○ *Je vais préparer une quiche lorraine. Et toi ?*

11 Les prépositions pour les villes, régions et pays

A. Quiz culturel : associe chaque capitale à son pays.

Athènes	Amsterdam	L'Italie	Le Mexique
Paris	Berlin	La France	La République
Londres	Washington	Les États-Unis	tchèque
Prague	Rome	La Grèce	
Madrid	L'Allemagne	Les Pays-Bas	
Mexico	L'Espagne	Le Royaume-Uni	

Athènes est en Grèce.

B. Devine dans quel pays ils sont.

● *Je suis sur la place Saint-Marc. Je porte un masque de carnaval.*
○ *Tu es en Italie.*

François :
« *La Statue de la Liberté me regarde de haut* ».

Martin :
« *Je suis sur la Tour Eiffel, je vois les Champs-Élysées* ».
Il est en France.

Natalie :
« *Je suis dans un pays de lacs et de montagnes. Je peux parler français, italien et allemand* ».

Isabelle :
« *Je suis au carnaval de Rio* ».

Xavier :
« *J'admire les ruines du Parthénon* ».

12 Le pronom sujet « on »

Détermine si dans les phrases suivantes **on** signifie « les gens » ou « nous », puis réécris-les.

	LES GENS	NOUS
	×	

En Italie, on mange des pâtes.
En Italie, les gens mangent des pâtes.
On part en vacances demain.
Dans la paella, on met du riz, des légumes,
du poisson ou de la viande.
On arrive dans cinq minutes !
En France, on dit « Bonjour » pour se saluer.
On part tout de suite. Depêche-toi !
Quand on voyage à l'étranger, on doit prendre son passeport.

> On peut signifier « les gens » :
> *En France, on parle français.*
> **Ou** « nous » : *Cet après-midi, on part à la plage à 15h.*
> **Les gens** ou **nous** sont des notions plurielles, mais le verbe qui se conjugue avec **on** est toujours à la 3ème personne du singulier.

13 La comparaison

Compare les villes suivantes en utilisant « plus … que » et « moins … que ».
Utilise les adjectifs de la dernière colonne du tableau.

	LYON	MARSEILLE	
Superficie	47,87 km²	240,62 km²	grand/e
Population de l'agglomération	1 309 596	1 263 562	peuplé/e
Température annuelle	11,3° C	17,5° C	chaud/e
Prix du mètre carré à la vente	2 389€	2 525€	cher/chère
Nombre de jeunes de moins de 20 ans	21,1%	23,1%	jeune

> **POUR MARQUER LA PROGRESSION**
> ➤ Pour une augmentation :
>   de plus en plus
>   *Il fait de plus en plus chaud dans le monde.*
> ➤ Pour une diminution :
>   de moins en moins
>   *Attention, tes notes sont de moins en moins bonnes.*

14 Le but et la cause

Réponds aux questions ou pose-les.

Les vacances des Français

Les Français aiment d'abord partir… en France. 89,2 % restent en France métropolitaine. Quelle est la raison ? 56,9 % sont hébergés chez la famille ou vont dans leur résidence secondaire. L'hébergement gratuit, c'est la première motivation pour choisir son lieu de vacances. L'hôtel représente 11,6 % des réservations, le camping et les locations 8,8 %. L'été, la destination préférée des Français reste toujours la mer (35 %) : ils aiment beaucoup la voile, les promenades en bateau, les pique-nique sur la plage…
Le Sud est la région la plus fréquentée par les vacanciers : ils sont sûrs d'avoir du soleil et de la chaleur ! Cependant, la fréquentation en Languedoc-Roussillon et en Provence-Alpes-Côte-d'Azur est moins importante depuis plusieurs années : prix trop élevés, mauvais accueil, concurrence des pays méditerranéens…

● *Pourquoi les Français restent-ils en France pour leurs vacances ?*
○ Parce qu'ils sont hébergés dans de la famille.
● Pourquoi 25 % des Français vont à la mer ?
○
● Pourquoi beaucoup de gens préfèrent-ils le Sud de la France ?
○
● ?
○ Parce que les prix sont trop élevés, l'accueil est mauvais et il y a la concurrence des autres pays.

15 Le présent de l'indicatif

A. Greg parle de son voyage. Complète le texte.

> partir (x2)   rentrer   poser   pouvoir
> adorer   arriver   sortir   être   aller (x2)

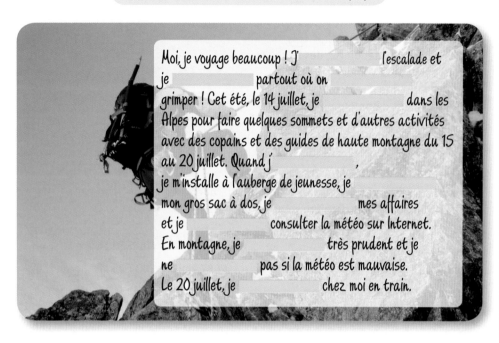

Moi, je voyage beaucoup ! J'_____ l'escalade et je _____ partout où on _____ grimper ! Cet été, le 14 juillet, je _____ dans les Alpes pour faire quelques sommets et d'autres activités avec des copains et des guides de haute montagne du 15 au 20 juillet. Quand j'_____, je m'installe à l'auberge de jeunesse, je _____ mon gros sac à dos, je _____ mes affaires et je _____ consulter la météo sur Internet. En montagne, je _____ très prudent et je ne _____ pas si la météo est mauvaise. Le 20 juillet, je _____ chez moi en train.

B. Raconte le voyage de Greg à partir de l'agenda suivant.

Il part en train le 14 juillet à 8h06…

14 juillet
8h06 : train départ
14h05 : arrivée Nice
16h : Bus pour Valberg. Auberge de jeunesse « Blanche-Neige »
19h : La Merenda avec copains + guides — dîner

15 juillet
6h : départ avec Ben et Fred pour escalade du Mont Mounier

16 juillet
7h30 : départ bus pour canyoning dans vallée de la Tinée

17 juillet
8h30 : départ devant bureau des guides avec VTT pour descente sur Roubion (10 km) — prendre casque

18 juillet
5h : départ pour parc du Mercantour — escalade Cime de Ventabren par le col de la Bonnette (prendre appareil photo)

19 juillet
5h : départ pour la Madone des Fenestres. Escalade Mont Gelas (bien préparer matériel — sommet très technique)
19h : soirée de départ avec guides + copains chez Ben

20 juillet
11h : bus pour Nice
14h05 : départ TGV — arrivée 20h15

Le futur proche

Il indique une action future avec une très grande probabilité de réalisation.

ALLER (au présent) + INFINITIF
- Qu'est-ce que tu **vas faire** cet après-midi ?
- Je **vais rester** chez moi.

Les prépositions de villes et pays

À + VILLE SANS ARTICLE
J'habite **à** Londres.
À + PAYS SANS ARTICLE
Je vis **à** Cuba.

En + PAYS FÉMININ
Je vis **en** Grè**c**e.
En + PAYS MASCULIN qui commence par une voyelle
Je pars en vacances **en U**ruguay.

Au + PAYS MASCULIN
Je vais **au** Portugal.
⚠️ Je pars **au** Mexi**qu**e.

Aux + NOM DE PAYS AU PLURIEL
Je suis **aux** États-Uni**s**.
(Voir l'unité 1 pour les articles des pays.)

Comparaison

- **Pour exprimer la supériorité**

Plus + ADJECTIF + **que**
L'Asie est **plus** grande **que** l'Europe.
Plus de + NOM + **que**
La Chine a **plus d'**habitants **que** les États-Unis.

- **Pour indiquer l'infériorité**

Moins + ADJECTIF + **que**
L'Europe est **moins** grande **que** l'Asie.
Moins de + NOM + **que**
Les États-Unis ont **moins d'**habitants **que** la Chine.

Pourquoi / Parce que

- **Pour demander le motif de quelque chose**

Pourquoi tu pars lundi à Paris ?

- **Pour exprimer la cause**

Parce que + VERBE
Parce que je travaille aujourd'hui et je ne peux pas partir plus tôt.

Le but

Pour + INFINITIF
Pour arriver avant l'anniversaire de Delphine.
Pour + NOM
Pour l'anniversaire de Delphine.

La conséquence

Tu vas en Italie cet été ? **Alors** tu vas avoir chaud.

Le présent de l'indicatif

	VOYAGER
je	voyage
tu	voyages
il/elle/on	voyage
nous	voyageons
vous	voyagez
ils/elles	voyagent

	PARTIR
je	pars
tu	pars
il/elle/on	part
nous	partons
vous	partez
ils/elles	partent

	VENIR
je	viens
tu	viens
il/elle/on	vient
nous	venons
vous	venez
ils/elles	viennent

16 Pour bien prononcer la fin des mots

A. Écoute la phrase suivante et réponds aux questions.

Françoise n'aime pas le thé.

Parmi ces trois propositions, laquelle correspond à la phrase entendue ?

☐ Françoise n'aime pas le th**é**.
☐ François**e** n'aim**e** pas le th**é**.
☐ François**e** n'aim**e** pas l**e** th**é**.

On ne prononce pas le **e** à la fin d'un mot :

☐ s'il n'est pas accentué en fin de mot (*Françoise, aime*).
☐ s'il est accentué (*thé*).
☐ s'il a une seule syllabe (*le*).

B. Écoute les mots de la liste. Classe-les dans le tableau suivant et réponds à la question :

> avec   sel   bonbon   Paul   content   manger   oral   nez   ses   coq
> voir   observez   pont   celles   actif   chanter   dans

JE PRONONCE LA CONSONNE FINALE	JE NE PRONONCE PAS LA CONSONNE FINALE

En général, est-ce qu'on prononce la consonne finale d'un mot ?

☐ Oui, dans tous les cas.
☐ Non, sauf si la consonne finale est **c**, **f**, **l**, **q** ou **r** (dans tous les cas).
☐ Non, sauf si la consonne finale est **c**, **f**, **l**, ou **q** (dans tous les cas) et **r** (en fonction des cas).

> Les cas du **r** est particulier :
> On ne le prononce jamais avec **–er** (*manger, pâtissier*) sauf dans *ver* et *hiver*.
> On le prononce systématiquement dans les autres cas (*voir, or, sur*).

C. Écoute les paires de mots ci-dessous. Coche ceux où tu entends la consonne finale, puis dis si l'affirmation est vraie ou fausse.

☐ charcutier   ☐ charcutière
☐ Sylvain   ☐ Sylvaine
☐ chant   ☐ chante
☐ dans   ☐ danse

VRAI   FAUX
☐   ☐

Le « **e** » final ne se prononce jamais (voir **A**) mais il permet de prononcer la consonne qui le précède.

> Attention : le sens d'un mot peut changer en fonction de la prononciation ou pas d'une consonne. Ainsi, *dans* (= à l'intérieur de) n'a aucun rapport avec *danse* (du verbe DANSER).

D. Barre dans les phrases suivantes les lettres finales qui ne se prononcent pas. Écoute l'enregistrement et vérifie tes réponses.

Il organise des voyages guidés.
Luc préfère aller en voiture à l'université.
Elle va à l'école à pied.
Paul et Luc sont très timides.

Piste 46
Piste 47
Piste 48
Piste 49

Françoise n'aime pas le thé.

LA COMPRÉHENSION DE L'ORAL (L'ÉVALUATION)

> Tout au long des ces unités, nous avons vu les différents types d'épreuves de compréhension orale et nous vous avons donné des conseils pour les aborder. Voyons maintenant comment les examinateurs vont évaluer votre travail.

Cet examen est noté sur 25 points répartis de la façon suivante :

- 4 points pour l'annonce vocale

- 7 points pour le message sur répondeur / conversation simple

- 6 points pour les dialogues en situation

- 6 points pour les associations image / dialogue

> Vous devez être capable de comprendre une intervention lente et soigneusement articulée. Les phrases doivent être courtes et simples. Vous devez parfois comprendre un détail, comme une partie d'un numéro de téléphone ou un numéro de vol.
>
> On ne vous demande pas d'écrire des phrases complètes. Vous devez cocher les réponses correctes ou écrire un mot ou un groupe de mots.
>
> On ne peut pas vous retirer de points si vous avez mal orthographié ces mots.
>
> Les questions sont fermées. La réponse doit correspondre clairement à un élément du document.

• **Exercice I**

Piste 50

Vous allez entendre 2 fois un document. Vous aurez 30 secondes de pause entre les 2 écoutes, puis 30 secondes pour vérifier vos réponses. Lisez d'abord les questions.

Vous êtes sur la route :

1. Le message est...

☐ une annonce publicitaire.
☐ un bulletin météo.
☐ une information sur l'état de la circulation.

2. À quelle heure commencent les travaux ? ....

• Exercice 2

Pistes
51-55

Vous allez entendre plusieurs petits dialogues correspondant à des situations différentes. Vous aurez 15 secondes de pause après chaque dialogue, puis vous entendrez à nouveau les dialogues et pourrez compléter vos réponses. Regardez d'abord les images.

Associez chaque situation à une image.

Attention : il y a 5 images (B, C, D, E, F), mais seulement 4 dialogues.

Exemple : Image A

Image B

Situation n° 0

Situation n° ....

Image C

Image D

Situation n° ....

Situation n° ....

Image E

Image F

Situation n° ....

Situation n° ....

LA COMPRÉHENSION DES ÉCRITS (L'ÉVALUATION)

Tout au long des ces unités, nous avons vu les différents types d'épreuves de la compréhension écrite et nous vous avons donné des conseils pour les aborder. Voyons maintenant comment les examinateurs vont évaluer votre travail.

Cet examen est noté sur 25 points répartis de la façon suivante :

- 10 points pour la carte

- 4 points pour les annonces

- 5 points pour la note / le message (avec des instructions)

- 6 points pour l'extrait de presse

Vous devez être capable de comprendre l'idée générale d'un document informatif.

Vous devez pouvoir retrouver des mots ou des expressions simples dans un texte court.

On ne vous demande pas d'écrire des phrases complètes. Vous devez cocher les réponses ou recopier une information telle qu'elle apparaît dans le document original. Parfois, vous devez écrire un mot ou un groupe de mots.

On ne peut pas vous retirer de points si vous avez mal orthographié ces mots.

• Exercice I

Lisez cet article et répondez aux questions ci-dessous.

L'année scolaire comporte 36 semaines réparties en cinq périodes de travail. Elles sont séparées par quatre périodes de vacances : vacances de Toussaint fin octobre, vacances de Noël, vacances d'hiver en février, vacances de printemps. Les vacances d'été commencent début juillet et se terminent fin août. Le calendrier scolaire est établi pour une période de trois ans et la France est découpée en trois zones.

À la fin de chaque trimestre, des conseils de classe ont lieu : les professeurs se réunissent pour examiner le travail et les progrès de chaque élève. Puis les parents d'élèves reçoivent un bulletin de notes.

À l'école maternelle et élémentaire, la durée de la semaine scolaire est de 24 heures d'enseignement pour tous les élèves. Ils vont à l'école 6 heures par jour les lundis, mardis, jeudis et vendredis.

Les collégiens ont entre 25 et 28 heures 30 de cours par semaine.

Au lycée, selon la série et les options choisies, l'enseignement varie entre 30 et 40 heures par semaine.

D'après education.gouv.fr

1. Quel titre proposez-vous pour cet article ?

☐ Les Français et l'école
☐ Les rythmes scolaires des jeunes Français
☐ L'école en France

2. Combien de temps durent les vacances d'été ?

....

3. Combien d'heures par semaine les collégiens vont-ils à l'école ?

....

4. Parmi ces trois propositions, cochez la bonne :

☐ Le bulletin de notes est envoyé après le conseil de classe.
☐ Le bulletin de note est donné pendant le conseil de classe.
☐ Le bulletin de notes est envoyé puis le conseil de classe a lieu.

• **Exercice 2**

Lisez le courriel suivant :

Envoyer Joindre Imprimer Listes

De : floflo@yaha.fr
À : ju@emflx.fr
Objet : piscine !!!!

Salut !

On se retrouve à la piscine avant midi. Si tu viens à vélo, c'est facile. Tu ne peux pas te perdre. À partir de la grande avenue, tu prends à gauche, c'est la rue de la Reinette et tu vas jusqu'au bout. Là tu prends à droite et tu vas tout droit jusqu'à la rue Galin. La piscine est juste là. Il y a un emplacement pour les vélos. À quelle heure on se donne rdv ? 10h ? C'est pas trop tôt ? Ah oui ! N'oublie pas de me rapporter ma jupe bleue !

Bises

Flo

1. Dessinez l'itinéraire à suivre pour aller au rendez-vous. Marquez d'une croix où se trouve la piscine.

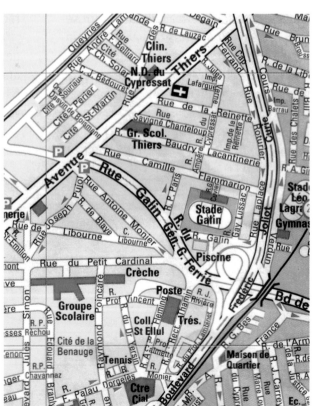

2. Le rendez-vous est :

☐ le matin.
☐ l'après-midi.
☐ le soir.

3. Le destinataire de ce courriel est :

☐ un copain.
☐ une copine.
☐ le professeur de natation.

LA PRODUCTION ÉCRITE (L'ÉVALUATION)

Dans cet exercice, comme nous l'avons vu, on peut vous demander d'écrire une carte postale ou de rédiger les légendes de photos ou de dessins. Dans les deux cas, l'évaluation porte sur votre capacité communicative et sur vos capacités linguistiques.

L'évaluation communicative. Cette évaluation représente 53% de la note de cette épreuve et elle comprend trois aspects :

1. Respect de la consigne : capacité à adapter votre écrit à l'instruction (situation et longueur). Vous devez donc bien lire la consigne pour éviter de traiter un autre sujet et vous devez savoir compter les mots.
   Exemple : *Je passe mes vacances à la plage. C'est super !* (= 10 mots)

2. Capacité à informer et à décrire : capacité à écrire des phrases et des expressions simples sur vous-même et sur vos activités. C'est la partie la plus importante de l'exercice.

3. Correction sociolinguistique : capacité à adapter votre texte au registre (**tu**/**vous**) et à savoir utiliser les formes élémentaires de l'accueil et de la prise de congé (ex. : salutation finale de la carte postale).

L'évaluation linguistique porte sur :

1. le lexique : le vocabulaire relatif à la vie quotidienne doit être su et bien orthographié.

2. la morphosyntaxe : vous devez savoir construire des phrases simples. L'orthographe grammaticale (accord nom/adjectif ; sujet/verbe) doit être assimilée.

3. la cohérence et la cohésion : vous pouvez relier vos phrases avec des connecteurs simples comme **et**, **alors**, **parce que**, **mais**.

Pour vous entraîner pendant les exercices de la production écrite, vous pouvez utiliser cette grille d'auto-évaluation (remplissez-la à l'aide de croix).

Capacités communicatives	0	0,5	1	1,5	2	2,5	3	3,5	4
1. Respect de la consigne : Je peux mettre en adéquation ma production avec la situation proposée et je peux respecter la consigne de longueur minimale indiquée.									
2. Capacité à informer et à décrire : Je peux écrire des phrases et des expressions simples sur moi-même et mes activités.									
3. Correction sociolinguistique : Je peux utiliser les formes les plus élémentaires de l'accueil et de la prise de congé et je peux choisir un registre de langue adapté au destinataire (**tu**/**vous**).									
Capacités linguistiques									
1. Lexique/orthographe lexicale : Je peux utiliser un répertoire élémentaire de mots et d'expressions relatifs à ma situation personnelle et je peux orthographier quelques mots du répertoire élémentaire.									
2. Morphosyntaxe/orthographe grammaticale : Je peux utiliser avec un contrôle limité des structures et des formes grammaticales simples appartenant à un répertoire mémorisé.									
3. Cohérence et cohésion : Je peux relier les mots par des connecteurs très élémentaires tels que **et**, **alors**, **parce que**, **mais**.									

▪ Exercice 1

Vous faites un voyage scolaire à Nice et vous écrivez une carte postale à votre famille d'accueil de l'année précédente pour lui raconter votre séjour (50 mots environ).

L'ENTRETIEN DIRIGÉ ET L'ÉCHANGE D'INFORMATIONS (L'ÉVALUATION)

Dans ces deux épreuves, l'évaluation porte sur votre capacité communicative et vos connaissances lexicales, morphosyntaxiques, grammaticales et phonologiques.

• L'entretien dirigé

L'évaluation communicative. Cette évaluation représente environ 60% de la note de cette épreuve (elle est notée de 0 à 5). Elle évalue :
1. La capacité à se présenter et à parler de soi et la capacité à répondre à des questions simples.

L'évaluation linguistique. Cette évaluation représente 40% de la note de ces deux épreuves et comprend trois aspects :
1. Capacité à utiliser un répertoire lexical élémentaire par rapport à des situations concrètes et que vous connaissez.
2. Capacité à utiliser des structures simples (phrase au présent ou à l'impératif, quelques prépositions).
3. Capacité à prononcer de façon à être compris par l'examinateur, qui peut vous demander de répéter.

• L'échange d'informations

L'évaluation communicative. Cette évaluation représente environ 60% de la note de cette épreuve (elle est notée de 0 à 4). Elle évalue :
1. La capacité à poser à l'examinateur des questions personnelles simples sur des sujets familiers et concrets et la capacité à montrer que vous comprenez la réponse de l'examinateur.

L'évaluation linguistique. (Elle est identique à celle de l'entretien dirigé).

> ✎ Dans l'entretien dirigé, l'examinateur doit vous poser les questions lentement et clairement, et vous pouvez lui demander de répéter.
>
> ✎ On ne peut pas exiger de vous une prononciation parfaite à ce niveau.
>
> ✎ Pour vous entraîner pendant les exercices de l'entretien dirigé et de l'échange d'informations, vous pouvez utiliser ces grilles d'auto-évaluation (remplissez-les à l'aide de croix).

• L'entretien dirigé

Capacité communicative	0	0,5	1	1,5	2	2,5	3	3,5	4	4,5	5
1. Je peux me présenter et parler de moi et je réponds à des questions simples, posées lentement et clairement.											
Capacités linguistiques											
1. **Lexique :** Je peux utiliser un répertoire élémentaire de mots et d'expressions isolées relatifs à des situations concrètes.											
2. **Grammaire :** Je peux utiliser de façon limitée des structures simples.											
3. **Phonologie :** Je peux prononcer de manière compréhensible un répertoire limité d'expressions mémorisées.											

• **L'échange d'informations**

Capacité communicative	0	0,5	1	1,5	2	2,5	3	3,5	4
1. Je peux poser à l'examinateur des questions personnelles simples sur des sujets familiers et concrets et je montre que je comprends la réponse de l'examinateur.									
Capacités linguistiques									
1. **Lexique :** Je peux utiliser un répertoire élémentaire de mots et d'expressions isolées relatifs à des situations concrètes.									
2. **Grammaire :** Je peux utiliser de façon limitée des structures simples.									
3. **Phonologie :** Je peux prononcer de manière compréhensible un répertoire limité d'expressions mémorisées.									

• **Entretien dirigé**

Répondez aux questions de l'examinateur (entraînez-vous avec votre professeur ou avec un camarade).

Qu'est-ce que vous aimez faire en vacances ?
Quel est le voyage de vos rêves ?
Est-ce que vous allez souvent au cinéma ?
Internet occupe-t-il beaucoup de temps dans vos loisirs ?
Est-ce que vous aimez goûter les cuisines d'autres pays ?

• **Échange d'informations**

À partir des mots ci-dessous, posez des questions à l'examinateur (entraînez-vous avec votre professeur ou avec un camarade).

Restaurant en famille ?	Faire un stage linguistique ?	Faire les magasins ?
Rester à la maison ?	Voyager en groupe ?	Vacances ?

• **Dialogue simulé**

Vous voulez acheter un pass « Eurorail » pour vous déplacer en train dans toute la France. Vous allez au guichet d'une gare pour vous renseigner. Imaginez le dialogue.

Examens

Partie 1
COMPRÉHENSION DE L'ORAL
25 points

■

Répondez aux questions en cochant (x) la bonne réponse ou en écrivant l'information demandée.

■ Exercice 1 *6 points*

Piste 56

Vous allez entendre 2 fois un document. Vous aurez 30 secondes de pause entre les 2 écoutes, puis 30 secondes pour vérifier vos réponses. Lisez d'abord les questions.

Vous êtes à l'aéroport. Répondez aux questions. *3 points par réponse*

1. Ce message s'adresse aux passagers du vol :

☐ AF499
☐ AF449
☐ AF489

2. À quel guichet doivent-ils se présenter ? ....

■ Exercice 2 *7 points*

Piste 57

Vous allez entendre 2 fois un document. Vous aurez 30 secondes de pause entre les 2 écoutes, puis 30 secondes pour vérifier vos réponses. Lisez d'abord les questions.

Répondez aux questions.

1. Qui téléphone ? *2 points*

☐ Claude Guillou.
☐ La secrétaire du cabinet dentaire.
☐ Le docteur Jacquet.

2. C'est un message pour : *2 points*

☐ demander un rendez-vous.
☐ annuler un rendez-vous.
☐ rappeler un rendez-vous.

3. Le rendez-vous est à : *2 points*

☐ a ☐ b ☐ c

4. Le téléphone du cabinet est le 02 99 ...... 98 .... *1 point*

■ **Exercice 3**   *6 points*

Pistes
58-62

Vous allez entendre plusieurs petits dialogues correspondant à des situations différentes.
Vous aurez 15 secondes de pause après chaque dialogue, puis vous entendrez à nouveau
les dialogues et pourrez compléter vos réponses. Regardez d'abord les images.

Associez chaque situation à une image.   *1,5 points par bonne réponse*

Attention : il y a 5 images (B, C, D, E, F), mais seulement 4 dialogues.

Exemple : *Image A*   Image B

Situation n° 0

Situation n° ....

Image C   Image D

Situation n° ....

Situation n° ....

Image E   Image F

Situation n° ....

Situation n° ....

Pistes
63-65

■ **Exercice 4**   *6 points*

Vous allez entendre plusieurs petits dialogues correspondant à des situations différentes. Vous aurez 15 secondes de pause après chaque dialogue, puis vous entendrez à nouveau les dialogues et pourrez compléter vos réponses. Lisez d'abord les questions.

Associez chaque situation à un dialogue. Pour chaque situation, mettez une croix pour indiquer **Où est-ce ?** ou **Qu'est-ce qu'on demande ?**

Situation 1

Où est-ce ?	
Un magasin de mode	
Une visite d'appartement	
Une visite de musée	

Situation 2

Qu'est-ce qu'on demande ?	
Un horaire	
Un numéro de téléphone	
Un lieu	

Situation 3

Où est-ce ?	
Dans un café	
Chez un ami	
Au cinéma	

Partie 2
COMPRÉHENSION DES ÉCRITS

25 points

■ Exercice 1

10 points

Vous venez de recevoir ce message. Répondez aux questions suivantes.

2 points par bonne réponse

Envoyer Joindre Imprimer Listes

À : tous
Cc :
Objet : Samedi prochain !

Salut,

Samedi prochain, c'est mon anniversaire : je fête mes 15 ans. À cette occasion, j'organise une petite fête. Il va y avoir de la musique. Et aussi plein de choses à manger et à boire. Apporte ton appareil-photo s'il te plaît. Tu peux venir avec des amis, bien sûr !

Tchao
Vincent

---

1. Qui a écrit ce message ? ....

2. C'est :

☐ un message de type amical.
☐ un message de type professionnel.

3. Pourquoi est-ce que cette personne a écrit ce message ?

☐ Pour inviter un ami.
☐ Pour remercier un ami.
☐ Pour accepter une invitation.

4. Que demande d'apporter la personne qui écrit ce message ?

☐ a   ☐ b   ☐ c

5. Quel âge va avoir Vincent ? ....

■ Exercice 2

4 points

Vous cherchez un baladeur MP3 d'occasion. Lisez ces annonces et répondez aux questions.   *2 points par bonne réponse*

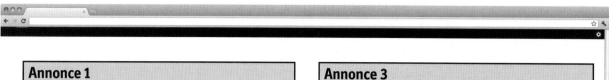

Annonce 1	Annonce 3
Vends lecteur MP3, clé USB. 4Go. Compatible PC uniquement. Prix : 60,00€. Intéressé/e, téléphonez au 06 74 79 88 75.	À vendre baladeur MP3. Super affaire + de 50h d'autonomie. 32Go. Moitié prix : 135,00€. Tél. : 06 67 19 65 35.

Annonce 2	Annonce 4
Je vends un baladeur MP3, 4Go, 15 heures d'autonomie. Compatible PC et Mac. Prix : 85,00€. Appelez-moi au 06 89 42 64 16.	Je cherche un lecteur MP3 bon marché, capacité entre 16 et 32Go. J'attends vos propositions. Benoît, 06 24 68 73 49.

Quelle annonce vous appelez si...

1. vous le voulez avec une autonomie supérieure à 10h et un prix maximum de 100,00€ : ....

2. vous avez un ordinateur Mac et vous disposez de 140,00€ : ....

■ Exercice 3

5 points

Katie vient de recevoir ce courriel :

À : kbonjean@postel.fr
Cc :
Objet : RE : Invitation

Katie,

Merci pour ta réponse. Pour venir, c'est facile. Inutile de prendre le métro. À pied, c'est à 5 minutes. Quand tu sors de la Gare du Nord, tu prends la rue juste en face. Tu arrives sur un grand boulevard. Tu traverses le boulevard et tu le longes jusqu'à la rue de Chabrol. J'habite au bout de cette rue, juste à côté de la Place Franz Liszt. Je suis au numéro 14. Tu sonnes au deuxième étage.

À samedi prochain :) !

Esther

1. Tracez sur ce plan le chemin que Katie doit suivre.   *2 points*

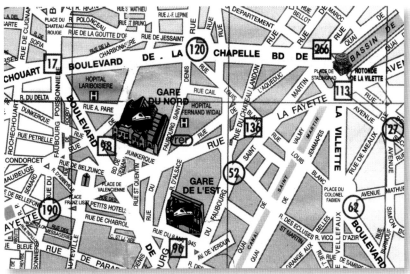

2. Le rendez-vous est :   *1,5 points*

☐ 14, Saint-Exupéry
☐ 14, Rue de Chabrol
☐ Gare du Nord

3. Pour arriver chez elle, Esther lui recommande de :   *1,5 points*

☐ prendre le métro.
☐ prendre un taxi.
☐ venir à pied.

■ Exercice 4   *6 points*

Voici l'extrait d'une enquête publiée dans la presse :

(…) On constate qu'aujourd'hui, les Français sont des adeptes d'Internet. Ils ont pris leur temps avant d'accepter de voir Internet entrer dans leur maison ou appartement, mais ils ont rattrapé le retard initial et ils sont maintenant de grands navigateurs. Les plus jeunes l'utilisent surtout pour chatter. Les adolescents français passent certainement plus de temps devant leur ordinateur que devant la télé. Les adultes chattent aussi, bien sûr, mais ils utilisent l'ordinateur pour chercher des informations et, de plus en plus, pour acheter des produits ou des services (…)

1. Quel titre convient le mieux à cet extrait :   *2 points*

☐ Les jeunes Français et Internet
☐ Les Français et Internet
☐ La télévision contre Internet

2. Que font surtout les jeunes Français sur Internet ? ....   *2 points*

3. L'achat de produits sur Internet est en augmentation ?   *2 points*

☐ Oui.
☐ Non.

■

Partie 3
Production écrite

25 points

■

■ Exercice 1

Remplissez la fiche ci-dessous pour une enquête sur les pratiques culturelles dans votre pays.

L'orthographe ne compte pas si l'erreur n'empêche pas de comprendre le mot.

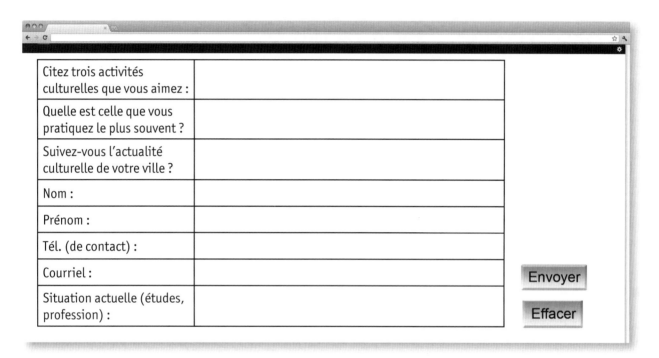

Citez trois activités culturelles que vous aimez :	
Quelle est celle que vous pratiquez le plus souvent ?	
Suivez-vous l'actualité culturelle de votre ville ?	
Nom :	
Prénom :	
Tél. (de contact) :	
Courriel :	Envoyer
Situation actuelle (études, profession) :	Effacer

■ Exercice 2

15 points

Vous partez en vacances avec vos parents quelques jours. Vous envoyez un courriel à votre meilleur(e) ami(e) pour lui demander de venir s'occuper de votre chat. (40-50 mots)

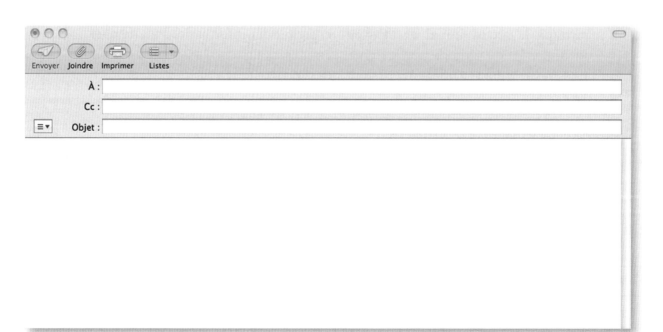

Envoyer Joindre Imprimer Listes

À :

Cc :

Objet :

Partie 4
Production orale

25 points
10 min de préparation
5 à 7 min de passation

■ Entretien dirigé   *1 minute environ*

Répondez aux questions de l'examinateur (entraînez-vous avec votre professeur ou avec un camarade) sur vos goûts ou vos activités :

Où est-ce que vous allez en vacances en hiver ?
Est-ce que vous aimez la montagne ?
Qu'est-ce que vous aimez faire pendant les vacances ?
Est-ce que vous passez vos vacances en famille d'habitude ?
Qu'est-ce que vous aimez en France ? Les villes ? Les villages ?
En vacances, vous allez à l'hôtel ou au camping ?

■ Échange d'informations   *2 minutes environ*

À partir des mots ci-dessous, posez des questions à l'examinateur
(entraînez-vous avec votre professeur ou avec un camarade).

Vacances d'été ?	Mer ?	Amis ?
Randonnées à vélo ?	Villes françaises ?	Camping ?

■ Dialogue simulé   *2 minutes environ*

Vos parents s'arrêtent pour prendre de l'essence sur une aire d'autoroute en France.
Comme vous avez faim, vous allez acheter un en-cas.

Partie 1
COMPRÉHENSION DE L'ORAL
25 points

Répondez aux questions en cochant (x) la bonne réponse ou en écrivant l'information demandée.

■ Exercice 1   6 points

Piste 66

Vous allez entendre 2 fois un document. Vous aurez 30 secondes de pause entre les 2 écoutes, puis 30 secondes pour vérifier vos réponses. Lisez d'abord les questions.

Vous réalisez un appel téléphonique.   *3 points par bonne réponse*

1. Il s'agit du message :

☐ d'accueil d'un restaurant.
☐ d'accueil d'un hôtel.
☐ d'accueil d'un camping.

2. On vous demande de patienter pour faire ....

■ Exercice 2   7 points

Piste 67

Vous allez entendre 2 fois un document. Vous aurez 30 secondes de pause entre les 2 écoutes, puis 30 secondes pour vérifier vos réponses. Lisez d'abord les questions.

Répondez aux questions.

1. À qui s'adresse ce message ?   *2 points*

☐ À Franck.
☐ À Mat.
☐ À Fred.

2. C'est un message pour :   *2 points*

☐ annuler un match de tennis.
☐ confirmer l'heure d'un match de tennis.
☐ inviter un ami au tennis.

3. Le rendez-vous est demain à :   *2 points*

15:00	05:15	17:15
☐ a	☐ b	☐ c

4. Le portable de Xavier, c'est le 06 34 ...... 30 ....   *1 point*

Pistes
68-72

■ Exercice 3

6 points

Vous allez entendre plusieurs petits dialogues correspondant à des situations différentes.
Vous aurez 15 secondes de pause après chaque dialogue, puis vous entendrez à nouveau
les dialogues et pourrez compléter vos réponses. Regardez d'abord les images.

Associez chaque situation à une image.

1,5 points par bonne réponse

Attention : il y a 5 images (B, C, D, E, F), mais seulement 4 dialogues.

Exemple : *Image A*　　　　　Image B　　　　　Image C

Situation n° 0　　　　Situation n° ....　　　　Situation n° ....

Image D　　　　　Image E　　　　　Image F

Situation n° ....　　　　Situation n° ....　　　　Situation n° ....

Pistes
73-75

■ Exercice 4

6 points

Vous allez entendre plusieurs petits dialogues correspondant à des situations différentes.
Vous aurez 15 secondes de pause après chaque dialogue, puis vous entendrez à nouveau
les dialogues et pourrez compléter vos réponses. Lisez d'abord les questions.

Associez chaque situation à un dialogue. Pour chaque situation, mettez une croix pour indiquer
Qui parle ?, **Où est-ce ?** ou **Qu'est-ce qu'on demande ?**

Situation 1

Qui parle ?	
Un professeur	
Un journaliste	
Un homme politique	

Situation 2

Où est-ce ?	
Au bureau de poste	
À la banque	
Au commissariat	

Situation 3

Qu'est-ce qu'on demande ?	
Un nom de rue	
La situation d'une rue	
L'adresse de la mairie	

Partie 2
COMPRÉHENSION DES ÉCRITS

25 points

■ Exercice 1

10 points

Vous venez de recevoir ce message. Répondez aux questions suivantes.

2 points par bonne réponse

Dijon, le 30 août 2011

J'ai le plaisir de vous annoncer ma naissance. Je m'appelle Benjamin. Je suis né le 24 août. Je pèse 3kg. Ma maman Caroline va très bien et mon papa Benoît est très content. Vous pouvez regarder toutes mes photos sur le site de Papa et Maman, voici l'adresse :
http://www.coucoucestnous.libre.fr/photos_famille/benjamin/naissance

J'attends votre visite ☺

---

1. Qui a écrit ce message ? ....

2. C'est :

☐ un message de type amical.
☐ un message de type professionnel.

3. Pourquoi est-ce que cette personne a écrit ce message ?

☐ Pour annoncer sa naissance.
☐ Pour annoncer la naissance du bébé.
☐ Pour annoncer le poids du bébé.

4. Pourquoi cette personne donne-t-elle le lien Internet ?

☐ Pour chatter avec ses amis.
☐ Pour recevoir leurs courriels.
☐ Pour permettre de regarder les photos du bébé.

5. Quelle est la date de naissance de Benjamin ? ....

■ **Exercice 2**   *4 points*

Vous cherchez un stage linguistique pendant vos vacances d'été
pour améliorer votre français. Lisez ces annonces et répondez aux questions.   *2 points par bonne réponse*

**Cours de français à Nice du
1er juillet au 31 août.
Tests de niveau le lundi matin,
début des cours le mardi matin.
Activités sportives l'après-midi.
Contact :
francenice@emdl.fr**

**Apprenez le français à Bordeaux en
juin, juillet, août.
Début des cours le lundi matin, fin
des cours le vendredi 12h.
Excursions trois après-midi par
semaine.
Renseignements au 06 49 32 10 11**

Lille :
Cours de français
de septembre à fin
juin.
Début des cours le
lundi matin.
Après-midi libres.
www.fle@lille.fr

Apprenez le français
à Lyon
Début des cours le
mercredi matin, fin
des cours le mardi
12h.
Renseignements au
08 010 210 11

Quelle annonce vous intéresse si :

1. Vous voulez commencer les cours le lundi matin : ....

2. Vous préférez le sud-est de la France : ....

■ **Exercice 3**   *5 points*

Mae vient de recevoir ce courriel :

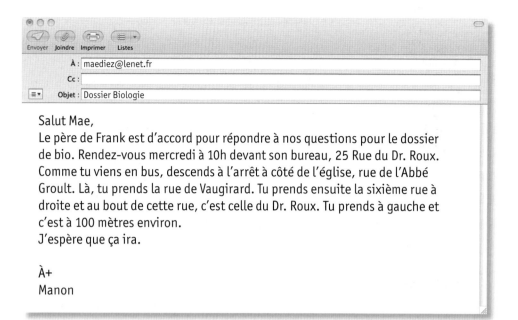

Salut Mae,
Le père de Frank est d'accord pour répondre à nos questions pour le dossier
de bio. Rendez-vous mercredi à 10h devant son bureau, 25 Rue du Dr. Roux.
Comme tu viens en bus, descends à l'arrêt à côté de l'église, rue de l'Abbé
Groult. Là, tu prends la rue de Vaugirard. Tu prends ensuite la sixième rue à
droite et au bout de cette rue, c'est celle du Dr. Roux. Tu prends à gauche et
c'est à 100 mètres environ.
J'espère que ça ira.

À+
Manon

1. Tracez sur ce plan le chemin pour arriver chez le père de Frank.   *2 points*

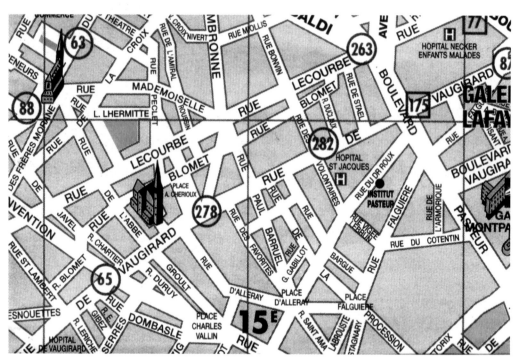

2. Manon et Mae sont :   *1,5 points*

☐ des lycéennes.
☐ des journalistes.
☐ des collègues de travail du père de Frank.

3. Mae vient au rendez-vous :   *1,5 points*

☐ en bus.
☐ en bus et à pied.
☐ en voiture.

■ **Exercice 4**   *6 points*

Voici le programme télévisé du vendredi 15 juillet :

TF1	FRANCE 2	FRANCE 3	CANAL+
20h55 - KOH-LANTA 5 Jeu présenté par Denis Brogniart **23h20 - SANS AUCUN DOUTE** Magazine présenté par Julien Courbet **01h40 - MARC ELIOT** *Quatre cents suspects* Série française avec Xavier Deluc	**20h55 - P.J.** *Sauvetage* Série policière française avec Bruno Wolkowitch, Emmanuelle Bach **21h55 - LES ENQUÊTES D'ÉLOÏSE ROME** *La vipère* Série policière française avec Christine Citti, Catherine Wilkening **22h50 - AVOCATS & ASSOCIÉS** *Petits coups de blues* Série policière française avec Julie Debazac, Frédéric Gorny **23h40 - CONTRE-COURANT** *Graffiti 60 (2/4)* Magazine présenté par Stéphane Paoli **01h10 - JOURNAL** et **Météo** **01h30 - CONTRE-COURANT** *Sur la route 66* Magazine présenté par Stéphane Paoli	**20h55 - THALASSA** *Escale au Viêtnam* Magazine de la mer présenté par Georges Pernoud **22h35 - Keno** et **Météo** **22h45 - SOIR 3** **23h05 - ONPP VU DU BOCAL** Animé par Guy Carlier et Marc-Olivier Fogiel **01h10 - 3600 SECONDES** Documentaire	**21h00 - ATHLÉTISME** Golden League : Meeting de Rome En direct du Stadio Olimpico **23h00 - LA LIGUE DES GENTLEMEN EXTRAORDINAIRES** Film américain (aventures) de Stephen Norrington (2003, 1h45) avec Shane West, Sean Connery **00h45 - MA MÈRE** Film en coproduction (comédie dramatique) de Christophe Honoré (2004, 1h40) avec Isabelle Huppert

Vous voulez voir :

1. Les Enquêtes d'Éloïse Rome

Heure : .... Chaîne : ....

2. Une émission sportive

Heure : .... Chaîne : ....

3. À quelle heure y a-t-il un jeu télévisé ? ....

Partie 3
PRODUCTION ÉCRITE
25 points

■ Exercice 1

10 points

Vous arrivez avec vos parents au camping *À la belle étoile* pour passer cinq jours.
Remplissez la fiche suivante.

L'orthographe ne compte pas si l'erreur n'empêche pas de comprendre le mot.

Nom : _____ Prénom : _____

Date de naissance : ____ / ____ / _____

Domicile habituel : _____ Tél. : _____

Durée du séjour (prévue) : _____

Date d'arrivée : 04 août 2011

Date de départ : _____

Mode de logement (tente, caravane) : _____

Véhicule : _____ Animaux : _____

Signature :

■ Exercice 2

15 points

Voici une série d'images correspondant aux vacances d'Édith avec son amie Astrid.
Imaginez la légende de chacune de ces images (40-50 mots).

....
....

....
....

Partie 4
Production orale

25 points

10 min de préparation
5 à 7 min de passation

■ Entretien dirigé

1 minute environ

Répondez aux questions de l'examinateur (entraînez-vous avec votre professeur ou avec un camarade) sur vos goûts ou vos activités.

À quelle heure est-ce que vous déjeunez d'habitude ?
Est-ce que vous mangez de la viande tous les jours ?
Est-ce que vous mangez souvent du fromage ?
Quel est votre dessert préféré ?
Vous aimez aller au restaurant ?
Est-ce que vous mangez un plat traditionnel pour les fêtes ?

■ Échange d'informations

2 minutes environ

À partir des mots ci-dessous, posez des questions à l'examinateur (entraînez-vous avec votre professeur ou avec un camarade).

Petit-déjeuner ?	Poisson ?	Fruits ?
Boissons ?	Cuisiner ?	Gâteau traditionnel ?

■ Dialogue simulé

2 minutes environ

Vous êtes à l'office du tourisme d'une ville française. Vous vous informez sur les visites à faire et sur l'auberge de jeunesse et les restaurants les moins chers.

Partie 1
COMPRÉHENSION DE L'ORAL
25 points

Répondez aux questions en cochant (x) la bonne réponse ou en écrivant l'information demandée.

■ Exercice 1   *6 points*

Piste 76

Vous allez entendre 2 fois un document. Vous aurez 30 secondes de pause entre les 2 écoutes, puis 30 secondes pour vérifier vos réponses. Lisez d'abord les questions.

Vous voulez aller à un concert du groupe La Rue Ketanou.   *3 points par bonne réponse*

1. Ce répondeur informe :

☐ des concerts d'été en France.
☐ du prix du concert de La rue Ketanou.
☐ des conditions pour acheter les places de La Rue Ketanou.

2. La Rue Ketanou sera en concert à Biarritz le ....

■ Exercice 2   *7 points*

Piste 77

Vous allez entendre 2 fois un document. Vous aurez 30 secondes de pause entre les 2 écoutes, puis 30 secondes pour vérifier vos réponses. Lisez d'abord les questions.

Répondez aux questions.

1. Qui téléphone ?   *2 points*

☐ M. Duclos.
☐ Le service de réparation.
☐ Le service clientèle.

2. C'est un message pour informer :   *2 points*

☐ du prix du lecteur DVD.
☐ du prix de la réparation du DVD.
☐ des horaires du magasin.

3. Le magasin ferme à :   *2 points*

☐ a   ☐ b   ☐ c

4. Le prix de la réparation est de ....   *1 point*

■ Exercice 3
6 points

Vous allez entendre plusieurs petits dialogues correspondant à des situations différentes.
Vous aurez 15 secondes de pause après chaque dialogue, puis vous entendrez à nouveau
les dialogues et pourrez compléter vos réponses. Regardez d'abord les images.

Associez chaque situation à une image.
1,5 points par bonne réponse

Attention : il y a 5 images (B, C, D, E, F), mais seulement 4 dialogues.

Exemple : *Image A*

Situation n° 0

Image B

Situation n° ....

Image C

Situation n° ....

Image D

Situation n° ....

Image E

Situation n° ....

Image F

Situation n° ....

■ Exercice 4
6 points

Vous allez entendre plusieurs petits dialogues correspondant à des situations différentes.
Vous aurez 15 secondes de pause après chaque dialogue, puis vous entendrez à nouveau
les dialogues et pourrez compléter vos réponses. Lisez d'abord les questions.

Associez chaque situation à un dialogue. Pour chaque situation, mettez une croix pour indiquer
Où est-ce ?, **Qui répond ?** ou **Qu'est-ce qu'on demande ?**.

Situation 1

Où est-ce ?	
À la banque	
À la mairie	
À la poste	

Situation 2

Qui répond ?	
Alice	
Thomas	
Laurent	

Situation 3

Qu'est-ce qu'on demande ?	
Deux croissants	
Un croissant et une baguette	
Deux croissants et une baguette	

■

Partie 2
COMPRÉHENSION DES ÉCRITS

25 points

■

■ **Exercice 1**   *10 points*

Vous venez de recevoir ce message. Répondez aux questions suivantes   *2 points par bonne réponse*

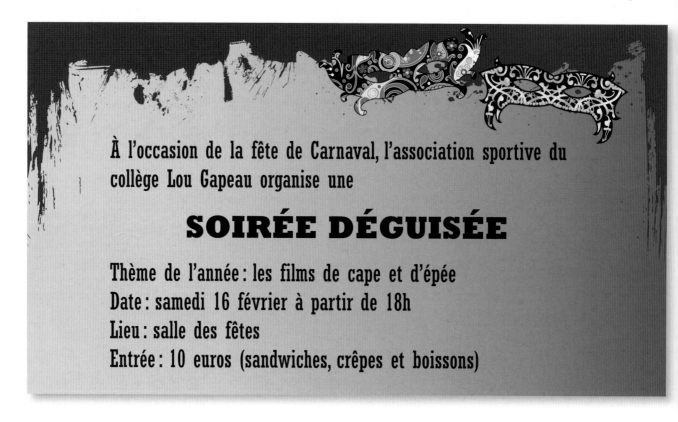

À l'occasion de la fête de Carnaval, l'association sportive du collège Lou Gapeau organise une

SOIRÉE DÉGUISÉE

Thème de l'année : les films de cape et d'épée
Date : samedi 16 février à partir de 18h
Lieu : salle des fêtes
Entrée : 10 euros (sandwiches, crêpes et boissons)

1. Qui a écrit ce message ? ....

2. Ce message annonce : ....

3. Quel type de déguisement est le plus approprié pour la soirée ?

☐ a

☐ b

☐ c

4. Combien coûte l'entrée ? ....

5. Quelle est la date de la soirée ? ....

■ **Exercice 2**

Vous voulez avoir un ou une correspondant(e) en France pour écrire en français.
Lisez ces annonces et répondez aux questions

2 points par bonne réponse

Annonce 1
Salut, je m'appelle Marc. Je cherche un correspondant entre 13 et 15 ans. J'adore le foot et je joue de la guitare. Nous pouvons chatter et nous envoyer des courriels. Écris-moi : marco007@cgenial.fr
Annonce 2
Salut, c'est Yasmine. J'ai 15 ans. Je cherche des internautes de mon âge pour chatter et envoyer des messages et des photos. J'adore la danse et la gym. J'attends vos courriers. yasmina@nana.fr
Annonce 3
Salut, les internautes ! Je suis nouvelle sur ce site. Je cherche des copains et copines pour chatter. Je veux surtout améliorer mon anglais, alors s'il y a des jeunes qui sont partant… Je suis en 5ème : manu@nana.fr
Annonce 4
Ciao ! moi c'est Enrico. J'adore la musique et faire la cuisine ! Mais je ne suis pas du tout sportif. Je cherche d'autres internautes de mon âge (14 ans) pour partager mes goûts. enrico@cgenial.fr

1. À quelle(s) annonce(s) écrivez-vous si vous aimez faire la cuisine ? ....

2. À quelle(s) annonce(s) écrivez-vous si vous aimez la musique ? ....

■ **Exercice 3**

5 points

Isabelle vient de recevoir ce courriel :

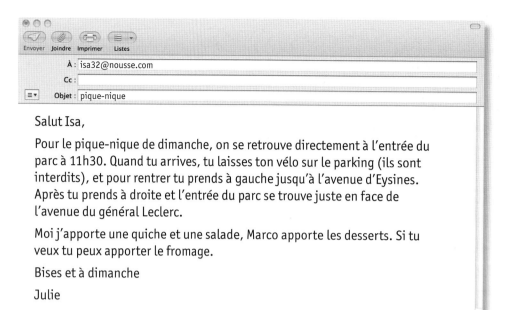

À : isa32@nousse.com

Cc :

Objet : pique-nique

Salut Isa,

Pour le pique-nique de dimanche, on se retrouve directement à l'entrée du parc à 11h30. Quand tu arrives, tu laisses ton vélo sur le parking (ils sont interdits), et pour rentrer tu prends à gauche jusqu'à l'avenue d'Eysines. Après tu prends à droite et l'entrée du parc se trouve juste en face de l'avenue du général Leclerc.

Moi j'apporte une quiche et une salade, Marco apporte les desserts. Si tu veux tu peux apporter le fromage.

Bises et à dimanche

Julie

1. Tracez sur ce plan le chemin pour arriver au rendez-vous.

2 points

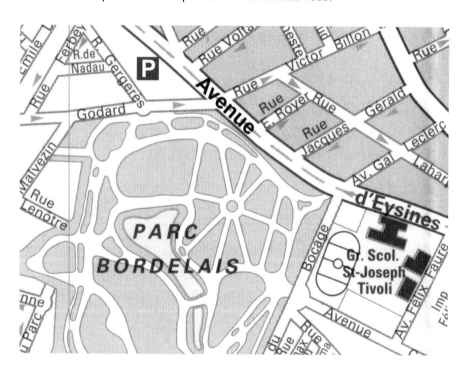

2. Pour aller au pique-nique, Isabelle va utiliser :

1,5 points

☐ a   ☐ b   ☐ c

3. Le rendez-vous est à : ....

1,5 points

■ Exercice 4

6 points

Observez le document suivant et répondez aux questions.

Vous êtes en Champagne-Ardenne.

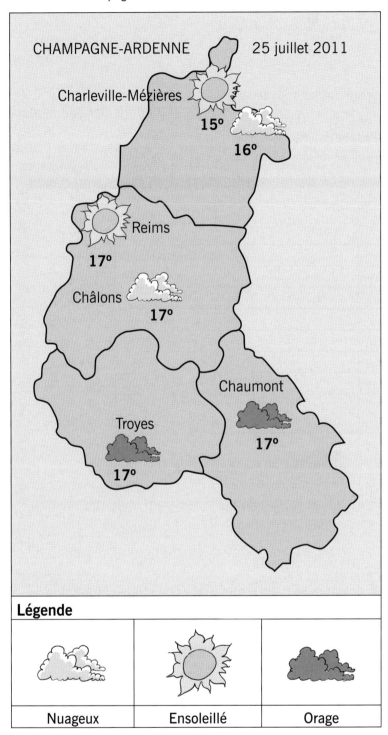

1. Où allez-vous pour trouver un temps ensoleillé ? ....

2. Quel temps fait-il à Troyes ? ....

3. Quelle température fait-il à Charleville-Mézières ? ....

Partie 3
PRODUCTION ÉCRITE
25 points

■ Exercice 1

10 points

Vous achetez un CD en ligne. Comme c'est votre premier achat, vous devez remplir ce formulaire.

2 points par bonne réponse

L'orthographe ne compte pas si l'erreur n'empêche pas de comprendre le mot.

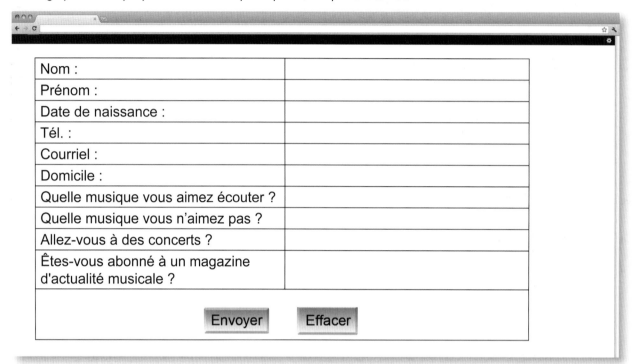

Nom :	
Prénom :	
Date de naissance :	
Tél. :	
Courriel :	
Domicile :	
Quelle musique vous aimez écouter ?	
Quelle musique vous n'aimez pas ?	
Allez-vous à des concerts ?	
Êtes-vous abonné à un magazine d'actualité musicale ?	

Envoyer   Effacer

■ Exercice 2

15 points

Un ami français va venir passer quelques jours chez vous.
Vous lui envoyez un courriel pour lui parler un peu de votre ville et des choses à faire ou à voir (40-50 mots).

Partie 4
Production orale

25 points

10 min de préparation
5 à 7 min de passation

■

■ Entretien dirigé

1 minute environ

Répondez aux questions de l'examinateur (entraînez-vous avec votre professeur ou avec un camarade) sur vos goûts ou vos activités :

Qu'est-ce que vous écoutez comme musique ?
Vous allez voir des concerts de temps en temps ?
Quel est votre chanteur/-euse préféré/e ? Pourquoi ?
Vous lisez ou regardez un magazine musical ?
Est-ce que vous jouez d'un instrument ?
Est-ce qu'on célèbre la fête de la musique dans votre ville ?

■ Échange d'informations

2 minutes environ

À partir des mots ci-dessous, posez des questions à l'examinateur (entraînez-vous avec votre professeur ou avec un camarade).

Cinéma ?	Dernier film ?	Films comiques ?
Acteur préféré ?	La Guerre des Étoiles ?	Le DVD ?

■ Dialogue simulé

2 minutes environ

Vous voulez aller au cinéma avec deux amis. Vous vous renseignez sur les horaires et les films qui passent, puis vous achetez les entrées.

■
Partie 1
COMPRÉHENSION DE L'ORAL
25 points
■

Répondez aux questions en cochant (x) la bonne réponse ou en écrivant l'information demandée.

Piste 86

■ Exercice 1   *6 points*

Vous allez entendre 2 fois un document. Vous aurez 30 secondes de pause entre les 2 écoutes, puis 30 secondes pour vérifier vos réponses. Lisez d'abord les questions.

Vous êtes dans un aéroport.   *3 points par bonne réponse*

1. Ce message :

☐ annonce le départ du vol AF587.
☐ annonce l'embarquement pour le vol AF587.
☐ annonce un retard sur le vol AF587.

2. L'annonce demande aux passagers de se présenter porte : ....

Piste 87

■ Exercice 2   *7 points*

Vous allez entendre 2 fois un document. Vous aurez 30 secondes de pause entre les 2 écoutes, puis 30 secondes pour vérifier vos réponses. Lisez d'abord les questions.

Répondez aux questions.

1. Qui organise une soirée ?   *2 points*

☐ Delphine
☐ Pierrick
☐ Pierrick et Genny

2. C'est un message pour :   *2 points*

☐ confirmer sa présence à la soirée.
☐ inviter une amie.
☐ demander l'heure de la soirée.

3. C'est une soirée :   *2 points*

☐ couscous.
☐ crêpes.
☐ raclette.

4. Le téléphone de la personne qui parle est le 06 24 ...... 78 ....   *1 point*

Pistes
88-92

■ Exercice 3

6 points

Vous allez entendre plusieurs petits dialogues correspondant à des situations différentes.
Vous aurez 15 secondes de pause après chaque dialogue, puis vous entendrez à nouveau
les dialogues et pourrez compléter vos réponses. Regardez d'abord les images.

Associez chaque situation à une image.

1,5 points par bonne réponse

Attention : il y a 5 images (B, C, D, E, F), mais seulement 4 dialogues.

Exemple : *Image A*   Image B   Image C

Situation nº 0   Situation nº ....   Situation nº ....

Image D   Image E   Image F

Situation nº ....   Situation nº ....   Situation nº ....

Pistes
93-95

■ Exercice 4

6 points

Vous allez entendre plusieurs petits dialogues correspondant à des situations différentes.
Vous aurez 15 secondes de pause après chaque dialogue, puis vous entendrez à nouveau
les dialogues et pourrez compléter vos réponses. Lisez d'abord les questions.

Associez chaque situation à un dialogue. Pour chaque situation, mettez une croix pour indiquer
Qui est-ce ?, **Qu'est-ce qu'on demande ?** ou **Où est-ce ?**

Situation 1

Qui parle ?	
Un ami	
Un agent de police	
Un mécanicien	

Situation 2

Qu'est-ce qu'on demande ?	
L'heure qu'il est	
L'heure d'ouverture d'un magasin	
L'heure d'ouverture d'un restaurant	

Situation 3

Où est-ce ?	
Au cinéma	
Au cirque	
À l'opéra	

Partie 2
COMPRÉHENSION DES ÉCRITS

25 points

■ **Exercice 1**   *10 points*

Vous venez de recevoir ce message. Répondez aux questions suivantes.   *2 points par bonne réponse*

Chers abonnés,

Nous avons le plaisir de vous annoncer la prochaine sortie du film de Steven Playhill, *Harry Terpot et les cascades de La Foux.*

À cette occasion, après la projection du film, le réalisateur signera les affiches le samedi 17 avril à 20h, dans le hall du cinéma.

Cette signature sera suivie d'un verre de l'amitié.

Nous vous remercions de confirmer votre présence au 08 00 00 52 18. Cette invitation vous sera demandée à l'entrée.

Cinéma des Frères Lumière

5 Av. des sports, 13000 Marseille

---

1. À qui s'adresse ce message ? ....

2. C'est :

☐ un message de type amical.
☐ un message de type commercial.

3. Ce message annonce :

☐ l'ouverture d'un nouveau cinéma.
☐ la sortie d'un film.
☐ la signature des affiches d'un film.

4. L'événement a lieu :

☐ dans une bibliothèque.
☐ dans un cinéma.
☐ dans une librairie.

5. Quelle est la date de l'événement ? ....

■ Exercice 2

4 points

La fin de l'année approche. Vous voulez organiser un voyage avec vos camarades de la classe de français (16 élèves) et votre professeur. Voici quelques annonces trouvées dans la presse. Lisez-les et répondez aux questions.

2 points par bonne réponse

Annonce 1

Séjour à Paris. Du 23 au 26 juin. Hébergement en hôtel 2 étoiles. Petit-déjeuner et dîner compris. Chambre double. Tarif spécial pour groupes (à partir de 10 personnes). Déplacement aéroport-hôtel. Pour plus de renseignements : **www.eiffelvacances.com**

Annonce 2

Découvrez la côte normande et son histoire. Séjour dans une merveilleuse villa en bord de mer. Idéal pour famille avec enfants. Grand parc. Location à la semaine ou au mois à partir du 23 juin. Tous les renseignements sur les conditions de location sont sur **www.kelebellemanormandie.fr**

Annonce 3

Lyon, la capitale de la gastronomie. À partir du 23 juin, venez découvrir les délices de la cuisine lyonnaise. Séjour en famille ou en groupe (à partir de 6 personnes) dans un hôtel de luxe du centre-ville. Plus de renseignements sur **www.lespetitsbouchons.fr**

1. Quelle annonce choisissez-vous si vous voulez être en France moins d'une semaine à partir du 23 juin et voulez découvrir les charmes de la capitale française :

....

2. Avec cette formule, est-ce que vous pouvez prendre le repas de midi à l'hôtel ?

....

■ **Exercice 3**

5 points

Antoine habite 6 rue Fred Fabrèges. Il rentre chez lui après sa leçon de batterie ; il trouve ce mot de ses parents :

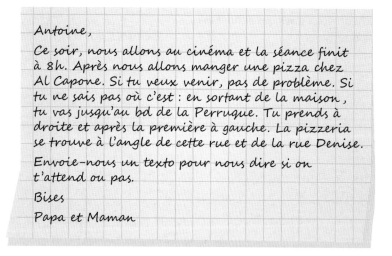

> Antoine,
> Ce soir, nous allons au cinéma et la séance finit
> à 8h. Après nous allons manger une pizza chez
> Al Capone. Si tu veux venir, pas de problème. Si
> tu ne sais pas où c'est : en sortant de la maison,
> tu vas jusqu'au bd de la Perruque. Tu prends à
> droite et après la première à gauche. La pizzeria
> se trouve à l'angle de cette rue et de la rue Denise.
> Envoie-nous un texto pour nous dire si on
> t'attend ou pas.
> Bises
> Papa et Maman

1. Tracez sur ce plan le chemin pour arriver au rendez-vous.

2 points

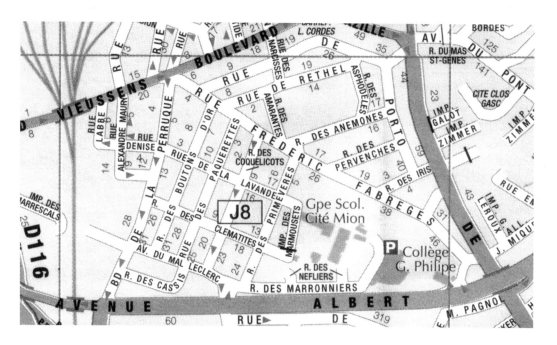

2. Après le film, les parents d'Antoine vont manger :

1,5 points

☐ a

☐ b

☐ c

3. Le rendez-vous avec Antoine est après :

1,5 points

☐ 20h.
☐ 21h.
☐ 8h du matin.

■ **Exercice 4**   *6 points*

Voici un extrait d'article paru dans la presse locale.

SPÉCIAL ÉTÉ

QUELQUES CONSEILS AVANT DE PARTIR EN VACANCES

Les vacances sont un moment de plaisir, mais certains petits détails sont importants pour éviter les surprises désagréables au retour.

Avant de partir, fermer toutes les ouvertures : portes et fenêtres. Il est préférable de demander à un voisin ou un parent de passer régulièrement pour ne pas donner l'impression que la maison est vide.

Le répondeur téléphonique : ne pas changer le message et ne pas indiquer les dates exactes de l'absence.

Il est possible de prévenir la police de la ville : certaines municipalités organisent un service spécial qui passe régulièrement aux adresses indiquées.

Ces quelques conseils doivent vous permettre d'éviter les cambriolages et de profiter au maximum de vos vacances. Imaginez la tête des enfants quand ils retrouvent leur chambre sans ordinateur !!

1. Dans quelle rubrique du journal pouvez-vous trouver cet article ?

☐ Conseils pratiques.
☐ Faits divers.
☐ Sports.

2. Lequel de ces trois titres correspond le mieux à l'article ?

☐ Les cambrioleurs aussi sont en vacances.
☐ Les cambriolages pendant les vacances.
☐ La police arrête des cambrioleurs au moment où ils entrent dans une maison.

	VRAI	FAUX
3. Il est conseillé de changer le message du répondeur.	☐	☐
La police s'occupe de surveiller les maisons ou appartements vides pendant les vacances.	☐	☐

Partie 3
PRODUCTION ÉCRITE
25 points

■ Exercice 1
10 points

Vous arrivez dans un cours de français et le professeur vous demande
quelques renseignements. Remplissez la fiche suivante.

1 point par bonne réponse

L'orthographe ne compte pas si l'erreur n'empêche pas de comprendre le mot.

Nom : .... Prénom : ....

Date de naissance : .... – .... – ....

Tél. : .... Courriel : ....

Quel sport pratiquez-vous régulièrement ? ....

Quel sont vos hobbys ? ....

Quelle(s) villes(s) de France connaissez-vous ? ....

Parlez-vous d'autres langues ? ....

Qu'aimez-vous faire quand vous n'étudiez pas ?

....

■ Exercice 2
15 points

Présentez les loisirs préférés de vos amis à partir des illustrations ci-dessous.
Écrivez la légende sous chaque image (40-50 mots).

■
Partie 4
Production orale

25 points

10 min de préparation

5 à 7 min de passation

■

■ Entretien dirigé

1 minute environ

Répondez aux questions de l'examinateur (entraînez-vous avec
votre professeur ou avec un camarade) sur vos goûts ou vos activités :

Est-ce que vous sortez souvent le week-end ?
Qu'est-ce que vous faites avec vos amis ?
Est-ce que vous chattez souvent ?
Vous utilisez Internet ? Pourquoi ?
Est-ce que vous passez plus de temps devant la télé que devant Internet ?
Vous avez une adresse électronique ?

■ Échange d'informations

2 minutes environ

À partir des mots ci-dessous, posez des questions à l'examinateur
(entraînez-vous avec votre professeur ou avec un camarade).

| Voyager ? | Lecture ? | Cinéma ? |
| Sports ? | Photos ? | Week-end ? |

■ Dialogue simulé

2 minutes environ

Vous cherchez un livre pour l'anniversaire d'un ami/d'une amie.
La vendeuse vous pose des questions. Finalement, vous achetez le livre.

En route vers... le DELF A1
scolaire et junior

Auteurs
Philippe Liria, Jean-Paul Sigé

Révision pédagogique et adaptation
Marie-Laure Lions-Oliviéri

Coordination éditoriale
Cécile Rouquette

Documentation
Coryse Calendini

Conception graphique et couverture
Luis Luján

Mise en page
Asensio S.C.P.

Illustrations
David Revilla et Ferni

Photographies et images
Couverture Michael Flippo/Dreamstime.com ; **Unité 1** p.5 Yuri Arcurs/Fotolia.com ; p.6 Andres Rodriguez/Fotolia.com, ItinerantLens/Fotolia.com, Yuri Arcurs/Fotolia.com, Catalin Petolea/Fotolia.com, auremar/Fotolia.com ; p.7 contrastwerkstatt/fotolia.com, lilufoto/Fotolia.com, Tanyo Nikolov/ Fotolia.com, Ints/Fotolia.com, Andrei Malov/Dreamstime.com, Monkey Business/Fotolia.com, Lorraine Swanson/Fotolia.com, Frédéric Massard/ Fotolia.com ; p.10 Pascal Le Segretain/Getty Images.com, Jon Kopalof/FilmMagic/Getty Images.com, Mike Hewitt/FIFA/Getty Images.com, GLYN KIRKAFP/ Getty Images.com, Michael Tran/FilmMagic /Getty Images.com ; p.18 Kirsty Pargeter/Fotolia.com ; **Unité 2** p.23 Anatoliy Samara/Fotolia.com ; p.24 Ignatius Wooster/Fotolia.com, david hughes/Fotolia.com, aline caldwell/Fotolia.com, aleksey kashin/Fotolia.com ; p.25 dny3d/Fotolia.com, Joe Gough/Fotolia.com ; p.26 Delphimages/Fotolia.com, arsdigital/Fotolia.com, Ryan/Fotolia.com, Fleur Suijten ; p.27 Britvich/Dreamstime.com, Jorisvo/ Dreamstime.com ; p.30 Vasileva/Fotolia.com ; p. 35 Scanrail/Fotolia.com, Yves Roland/Fotolia.com, Alexander Mychko/Dreamstime.com ; **Unité 3** p.41 paulo Jorge cruz/Fotolia.com ; p.44 nito/Fotolia.com, Carolina Garcia Aranda/Dreamstime.com, Ivonne Wierink/Fotolia.com, Alexandar Iotzov/ Dreamstime.com, iStockphoto.com/jorgegonzalez, jfgornet/Flickr.com, BEAUTYofLIFE/Fotolia.com ; p.45 Ilona Baha/Fotolia.com ; p.46 artjazz/ Fotolia.com, Photo25th/Dreamstime.com, Regina Jersova/Fotolia.com, Sally1708/Dreamstime.com, Benjamin Kirk/Fotolia.com ; p.47 volff/Fotolia.com ; p.49 Andrey Bandurenko/Fotolia.com ; p.54 dutourdumonde/Fotolia.com, Dmitrijs Dmitrijevs/Fotolia.com, Yanta/Dreamstime.com ; **Unité 4** p.59 Barbara Ceruti ; p. 60 Secret Side/Fotolia.com ; p.61 Rixie/Dreamstime.com, Maeroris/Dreamstime.com, Gabrieldome/Dreamstime.com, Vidady/Fotolia.com, Jörg Beuge/Dreamstime.com, Viktor/Fotolia.com, GLUE STOCK/Fotolia.com, monticellllo/Fotolia.com, Tamara Novaković | Dreamstime.com, Inna Yurkevych/ Fotolia.com ; p.62 Picture Partners/Fotolia.com, Liubov Grigoryeva/Dreamstime.com, Maceo/Fotolia.com ; p.63 ramonzarat/Fotolia.com ; p.64 Lyuba Dimitrova/LADA Film ; p.65 Sashkin/Fotolia.com ; p. 66 martine wagner/Fotolia.com, Stefan Hermans/Dreamstime.com ; p. 70 Lotfi Mattou/Fotolia.com ; p.73 Elina Manninen/Dreamstime.com, Eyewave/Fotolia.com, Olga Nayashkova/Fotolia.com ; p.76 Marco Mayer/Fotolia.com ; **Unité 5** p.77 JackF/ Fotolia.com ; p.78 vgstudio/Fotolia.com, Valeriya Potapova/Dreamstime.com, Edyta Pawlowska/Fotolia.com, Millaus/Dreamstime.com, Patrizia Tilly/ Fotolia.com ; p.79 Artur Gabrysiak/Fotolia.com ; p.81 nico75/Fotolia.com, Kuzma/Dreamstime.com ; p.82 Vladimir Voronin/Dreamstime.com ; p.83 Alexander Raths/Fotolia.com ; p.84 Netzer Johannes/Fotolia.com ; p.92 arnaud/Fotolia.com ; **Examens** p.95 Lyuba Dimitrova/LADA Film ; p.99 Diana Rich/Dreamstime.com, fefufoto/Fotolia.com, Marilyn Gould/Dreamstime.com ; p.114 Sandra van der Steen/Fotolia.com, Tatyana Pronina/ Dreamstime.com, Olga Gabay/Dreamstime.com ; p.116 Julián Rovagnati/Fotolia.com, Avesun/Fotolia.com, Simon Coste/Fotolia.com ; p.122 Alex Kalmbach/Fotolia.com ; p.124 SCO_ASSON/Fotolia.com, illustrez-vous/Fotolia.com, robynmac/Fotolia.com
N.B : Toutes les photographies provenant de www.flickr.com, sont soumises à une licence de Creative Commons (Paternité 2.0 et 3.0)

Cet ouvrage est basé sur *Les clés du nouveau DELF A1* (Difusión, Barcelone).

Tous les textes et documents de cet ouvrage ont fait l'objet d'une autorisation préalable de reproduction. Malgré nos efforts, il nous a été impossible de trouver les ayants droit de certaines œuvres. Leurs droits sont réservés à Difusión, S. L. Nous vous remercions de bien vouloir nous signaler toute erreur ou omission ; nous y remédierions dans la prochaine édition.

Les sites référencés peuvent avoir fait l'objet de changement. Notre maison d'édition décline toute responsabilité concernant d'éventuels changements. En aucun cas, nous ne pourrons être tenus pour responsables des contenus de liens vers des tiers à partir des sites indiqués.

ISBN édition internationale : 978-84-8443-667-6
ISBN édition italienne : 978-84-8443-880-9
Dépôt légal : B 7857-2013
Imprimé dans l'UE
Réimpression : février 2019

www.emdl.fr